JN041682

ARTISTIC

ANATOMY

人体を描きたい人のための
「美術解剖学」

FOR

金井裕也
講談社

HUMAN

DRAWING

装幀
アルビレオ

本文デザイン・DTP
長橋誓子

撮影
市川 守（本社写真部）

撮影協力
鈴木兼斗　宮井典子

編集協力
河野真理子　大貫未記

はじめに

　ラスコー洞窟の壁画にヒト形の線描が見られるように、古来、「人間」は重要な芸術のモチーフでしたが、現代に近づくに従って、人間が芸術作品の対象になる度合いは減ってきました。

　しかし、コミック・アニメーション・ゲームといった新しい芸術ジャンルでは人間を表現することが大変盛んになり、人間は必要不可欠なモチーフとして復活したといえると思います。世界的な広がりを見せ、時代の先端ともいえるこれらのジャンルでは、日進月歩のコンピューター技術と、大量消費文化により、大変なスピードでの制作が要求されます。これらに登場するキャラクターの創作も同様でしょう。

　そこで表現される人間の形態や動きは、人体の「解剖学的な構造」と「各部の可動範囲」という制約を負うことになります。表現されたキャラクターのちょっとした不自然な動き、からだの線などに違和感を覚えた鑑賞者による厳しい指摘は、結構多いものです。これは、制作者のみならず鑑賞者も日常的に不特定多数の人間と接して無意識ながら人間を観察しているためでしょう。

　ですから制作にあたっては、人体における制約を頭に入れながら、動きをいかに自然に、リアルに描くかという視点が重要になってくるわけです。

　この本では、まず「基礎編」で解剖学の入り口に立ちます。第1章では大づかみに人体を捉え、全身のイメージを確認します。第2章は、解剖学的各論とでもいうべきものにしました。からだの各部において骨と骨とをつなぐ筋を確認し、関節を起点とした屈曲、伸展の方向も示してあります。この段階では解剖学的名称を記憶する必要はありません。

　続いて、スケッチ・デッサンした人体に命を吹き込む「実践編」（第3章）に入ります。日常におけるおだやかな動きと、スポーツなどのダイナミックな動きを対象に、解剖学的な解釈・分析を加えています。いくつかのデッサンについては、その手順も併記しました。

　この段階では、「基礎編」にある人体各部の筋のつき方、関節の可動範囲などの情報を参照することが、大変重要になります。スケッチを描いていると、からだの構造をつかみきれずに立ち止まったり逡巡したりということが起こると思いますが、その都度、「基礎編」で確認してみてください。

　絵を描くことで、からだの構造や解剖学的な用語について理解を深め、それをさらに制作に生かすために、本書を役立てていただければと思います。

CONTENTS

コラム 名作のなかの人体・1

「青銅時代」オーギュスト・ロダン ···················· 58

実践編

第3章 人体のさまざまな動きを描く

第 1 章
人体の基礎知識と特徴

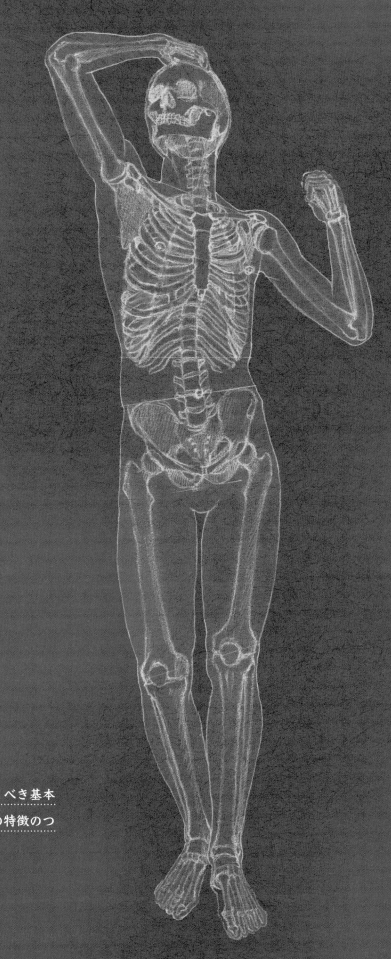

人体を描くために知っておくべき基本
的な解剖学の知識と、人体の特徴のつ
かみ方をわかりやすく解説。

からだの区分、方向、面

人体を描くまえに、まずはからだの解剖学的な区分や方向などの名称を確認しておきましょう。

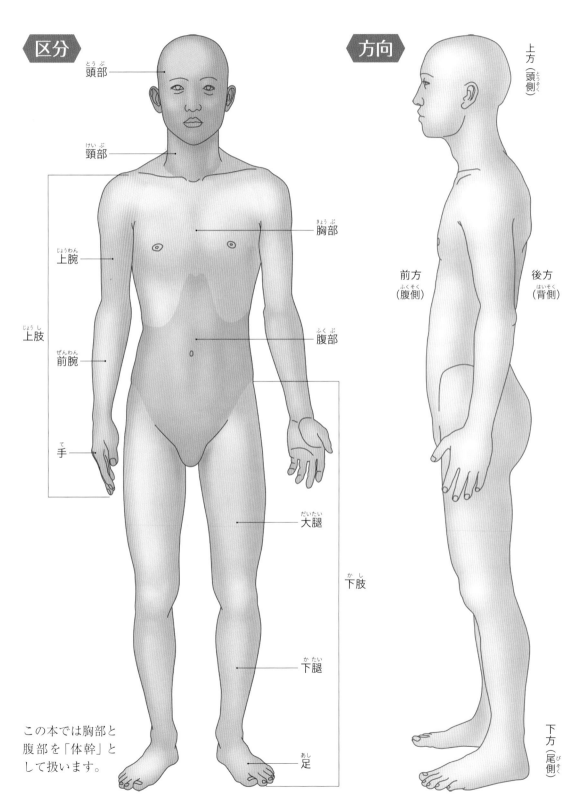

区分

頭部（とうぶ）

頸部（けいぶ）

胸部（きょうぶ）

上腕（じょうわん）

上肢（じょうし）

腹部（ふくぶ）

前腕（ぜんわん）

手（て）

大腿（だいたい）

下肢（かし）

下腿（かたい）

この本では胸部と腹部を「体幹」として扱います。

足（あし）

方向

上方（頭側）（とうそく）

前方（腹側）（ふくそく）

後方（背側）（はいそく）

下方（尾側）（びそく）

面

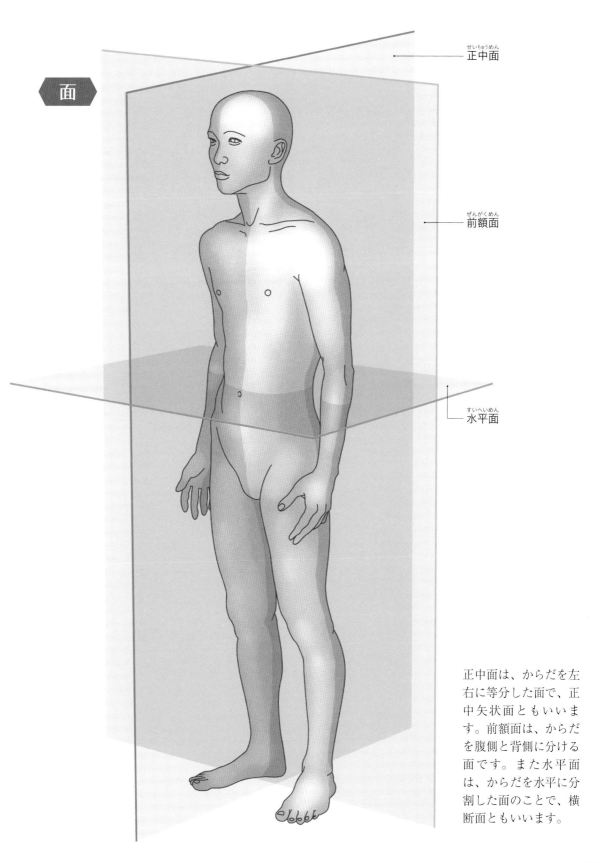

正中面 <small>せいちゅうめん</small>

前額面 <small>ぜんがくめん</small>

水平面 <small>すいへいめん</small>

正中面は、からだを左右に等分した面で、正中矢状面ともいいます。前額面は、からだを腹側と背側に分ける面です。また水平面は、からだを水平に分割した面のことで、横断面ともいいます。

体表から触れるポイント からだの各部の名称

からだには、骨の隆起がはっきりとわかるポイントがいくつかあり、人体を描くときの目印となります。実際に自分で触れて確かめてみましょう。

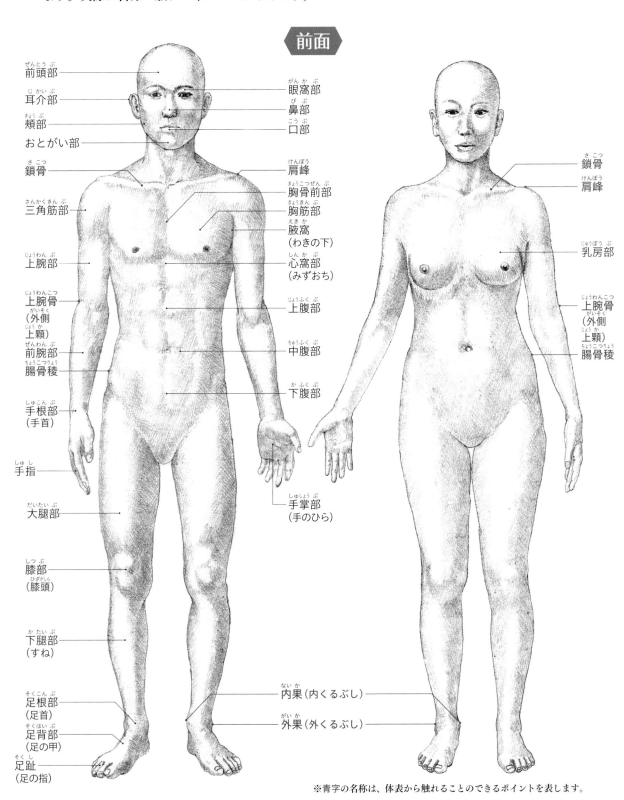

前面

前頭部
（ぜんとうぶ）

耳介部
（じかいぶ）

頬部
（きょうぶ）

おとがい部

鎖骨
（さこつ）

三角筋部
（さんかくきんぶ）

上腕部
（じょうわんぶ）

上腕骨
（じょうわんこつ）
（外側）
（がいそく）
上顆
（じょうか）

前腕部
（ぜんわんぶ）
腸骨稜
（ちょうこつりょう）

手根部
（しゅこんぶ）
（手首）

手指
（しゅし）

大腿部
（だいたいぶ）

膝部
（しつぶ）
（膝頭）
（ひざがしら）

下腿部
（かたいぶ）
（すね）

足根部
（そくこんぶ）
（足首）
足背部
（そくはいぶ）
（足の甲）
足趾
（そくし）
（足の指）

眼窩部
（がんかぶ）
鼻部
（びぶ）
口部
（こうぶ）

肩峰
（けんぽう）
胸骨前部
（きょうこつぜんぶ）
胸筋部
（きょうきんぶ）
腋窩
（えきか）
（わきの下）
心窩部
（しんかぶ）
（みずおち）
上腹部
（じょうふくぶ）

中腹部
（ちゅうふくぶ）

下腹部
（かふくぶ）

手掌部
（しゅしょうぶ）
（手のひら）

内果（内くるぶし）
（ないか）
外果（外くるぶし）
（がいか）

鎖骨
（さこつ）
肩峰
（けんぽう）

乳房部
（にゅうぼうぶ）

上腕骨
（じょうわんこつ）
（外側）
（がいそく）
上顆
（じょうか）
腸骨稜
（ちょうこつりょう）

※青字の名称は、体表から触れることのできるポイントを表します。

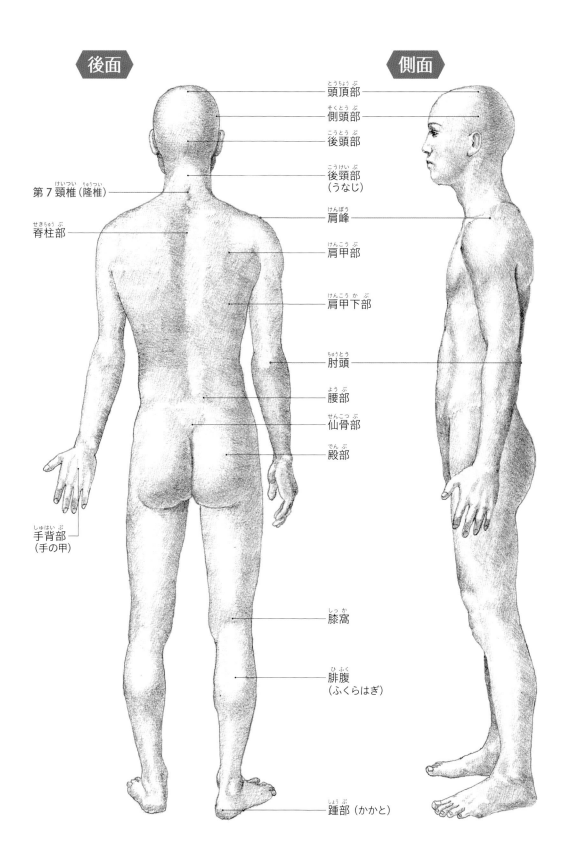

後面

側面

頭頂部

側頭部

後頭部

後頸部
（うなじ）

第7頸椎（隆椎）

肩峰

脊柱部

肩甲部

肩甲下部

肘頭

腰部

仙骨部

殿部

手背部
（手の甲）

膝窩

腓腹
（ふくらはぎ）

踵部（かかと）

全身の筋

筋は、収縮することでからだのさまざまな動きを生み出します。どこに、どのような筋があるのか、まずは全体像をとらえてください。

前面

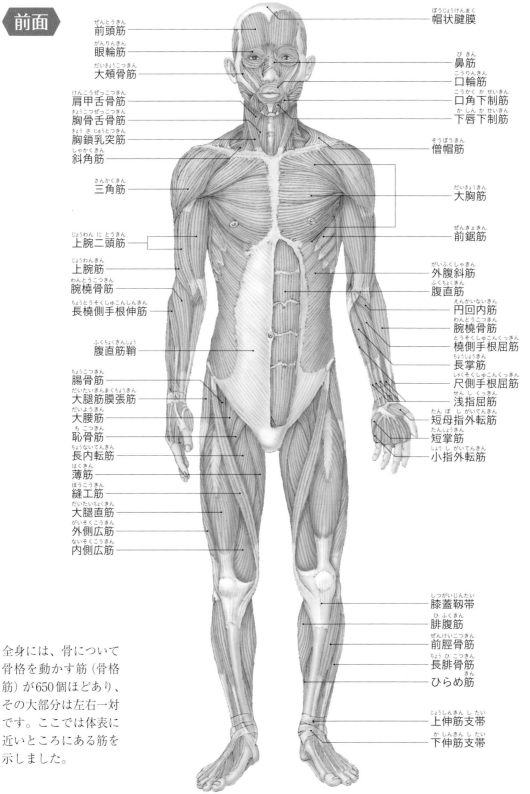

ぜんとうきん
前頭筋

がんりんきん
眼輪筋

だいきょうこつきん
大頬骨筋

けんこうぜっこつきん
肩甲舌骨筋

きょうこつぜっこつきん
胸骨舌骨筋

きょうさにゅうとつきん
胸鎖乳突筋

しゃかくきん
斜角筋

さんかくきん
三角筋

じょうわんにとうきん
上腕二頭筋

じょうわんきん
上腕筋

わんとうこつきん
腕橈骨筋

ちょうとうそくしゅこんしんきん
長橈側手根伸筋

ふくちょくきんしょう
腹直筋鞘

ちょうこつきん
腸骨筋

だいたいきんまくちょうきん
大腿筋膜張筋

だいようきん
大腰筋

ちこつきん
恥骨筋

ちょうないてんきん
長内転筋

はくきん
薄筋

ほうこうきん
縫工筋

だいたいちょくきん
大腿直筋

がいそくこうきん
外側広筋

ないそくこうきん
内側広筋

ぼうじょうけんまく
帽状腱膜

びきん
鼻筋

こうりんきん
口輪筋

こうかくかせいきん
口角下制筋

かしんかせいきん
下唇下制筋

そうぼうきん
僧帽筋

だいきょうきん
大胸筋

ぜんきょきん
前鋸筋

がいふくしゃきん
外腹斜筋

ふくちょくきん
腹直筋

えんかいないきん
円回内筋

わんとうこつきん
腕橈骨筋

とうそくしゅこんくっきん
橈側手根屈筋

ちょうしょうきん
長掌筋

しゃくそくしゅこんくっきん
尺側手根屈筋

せんしくっきん
浅指屈筋

たんぼしがいてんきん
短母指外転筋

たんしょうきん
短掌筋

しょうしがいてんきん
小指外転筋

しつがいじんたい
膝蓋靱帯

ひふくきん
腓腹筋

ぜんけいこつきん
前脛骨筋

ちょうひこつきん
長腓骨筋

きん
ひらめ筋

じょうしんきんしたい
上伸筋支帯

かしんきんしたい
下伸筋支帯

全身には、骨について骨格を動かす筋（骨格筋）が650個ほどあり、その大部分は左右一対です。ここでは体表に近いところにある筋を示しました。

後面

- 後頭筋（こうとうきん）
- 胸鎖乳突筋（きょうさにゅうとつきん）
- 僧帽筋（そうぼうきん）
- 三角筋（さんかくきん）
- 小円筋（しょうえんきん）
- 棘下筋（きょくかきん）
- 大円筋（だいえんきん）
- 上腕三頭筋（じょうわんさんとうきん）
- 広背筋（こうはいきん）
- 腕橈骨筋（わんとうこつきん）
- 肘筋（ちゅうきん）
- 尺側手根屈筋（しゃくそくしゅこんくっきん）
- 尺側手根伸筋（しゃくそくしゅこんしんきん）
- 長橈側手根伸筋（ちょうとうそくしゅこんしんきん）
- 総指伸筋（そうししんきん）
- 小指伸筋（しょうししんきん）
- 伸筋支帯（しんきんしたい）
- 背側骨間筋（はいそくこつかんきん）
- 小指外転筋（しょうしがいてんきん）
- 大腿筋膜張筋（だいたいきんまくちょうきん）
- 中殿筋（ちゅうでんきん）
- 腸脛靱帯（ちょうけいじんたい）
- 大殿筋（だいでんきん）
- 大腿二頭筋（長頭）（だいたいにとうきん・ちょうとう）
- 大内転筋（だいないてんきん）
- 半腱様筋（はんけんようきん）
- 半膜様筋（はんまくようきん）
- 膝窩（しっか）
- 足底筋（そくていきん）
- 腓腹筋（ひふくきん）
- ひらめ筋（きん）
- 踵骨腱（しょうこつけん）（アキレス腱）（けん）

側面

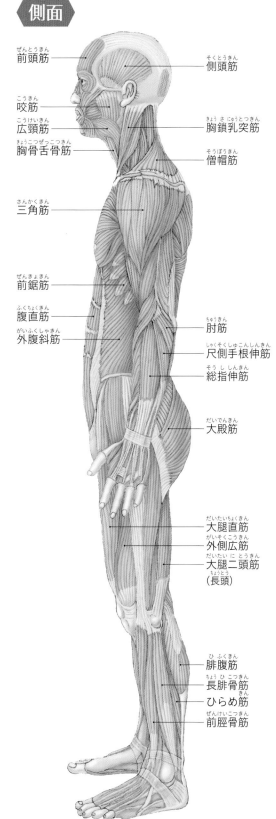

- 前頭筋（ぜんとうきん）
- 咬筋（こうきん）
- 広頸筋（こうけいきん）
- 胸骨舌骨筋（きょうこつぜっこつきん）
- 三角筋（さんかくきん）
- 前鋸筋（ぜんきょきん）
- 腹直筋（ふくちょくきん）
- 外腹斜筋（がいふくしゃきん）
- 側頭筋（そくとうきん）
- 胸鎖乳突筋（きょうさにゅうとつきん）
- 僧帽筋（そうぼうきん）
- 肘筋（ちゅうきん）
- 尺側手根伸筋（しゃくそくしゅこんしんきん）
- 総指伸筋（そうししんきん）
- 大殿筋（だいでんきん）
- 大腿直筋（だいたいちょくきん）
- 外側広筋（がいそくこうきん）
- 大腿二頭筋（長頭）（だいたいにとうきん・ちょうとう）
- 腓腹筋（ひふくきん）
- 長腓骨筋（ちょうひこつきん）
- ひらめ筋（きん）
- 前脛骨筋（ぜんけいこつきん）

全身の骨

筋がつく土台となっているのが骨です。骨格（骨組み）をきちんととらえることができれば、人体を描くときのバランスが取りやすくなるはずです。

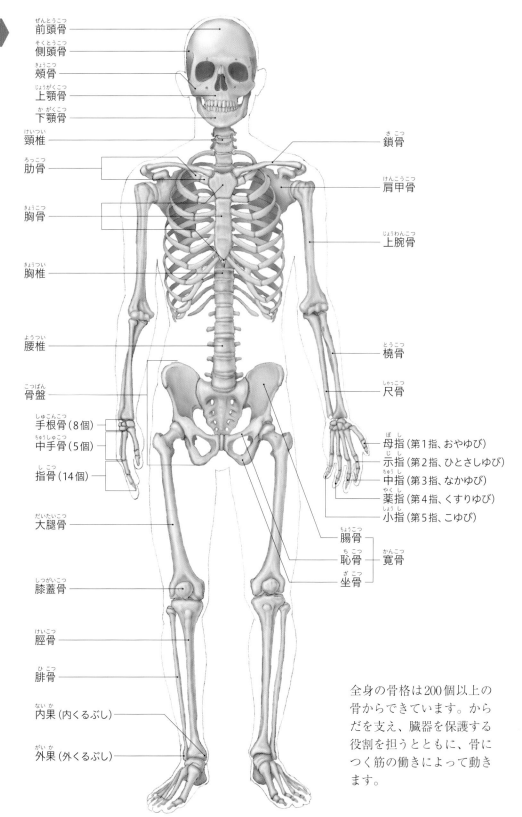

前面

前頭骨（ぜんとうこつ）
側頭骨（そくとうこつ）
頬骨（きょうこつ）
上顎骨（じょうがくこつ）
下顎骨（かがくこつ）
頸椎（けいつい）
肋骨（ろっこつ）
胸骨（きょうこつ）
胸椎（きょうつい）
腰椎（ようつい）
骨盤（こつばん）
手根骨（8個）（しゅこんこつ）
中手骨（5個）（ちゅうしゅこつ）
指骨（14個）（しこつ）
大腿骨（だいたいこつ）
膝蓋骨（しつがいこつ）
脛骨（けいこつ）
腓骨（ひこつ）
内果（内くるぶし）（ないか）
外果（外くるぶし）（がいか）

鎖骨（さこつ）
肩甲骨（けんこうこつ）
上腕骨（じょうわんこつ）
橈骨（とうこつ）
尺骨（しゃっこつ）
母指（第1指、おやゆび）（ぼし）
示指（第2指、ひとさしゆび）（じし）
中指（第3指、なかゆび）（ちゅうし）
薬指（第4指、くすりゆび）（やくし）
小指（第5指、こゆび）（しょうし）
腸骨（ちょうこつ）
恥骨（ちこつ）　寛骨（かんこつ）
坐骨（ざこつ）

全身の骨格は200個以上の骨からできています。からだを支え、臓器を保護する役割を担うとともに、骨につく筋の働きによって動きます。

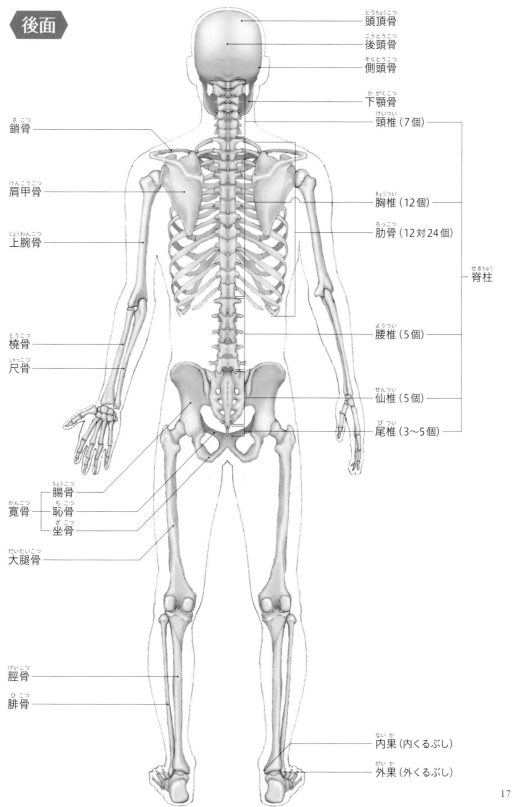

後面

頭頂骨（とうちょうこつ）

後頭骨（こうとうこつ）

側頭骨（そくとうこつ）

下顎骨（か がくこつ）

頸椎（けいつい）（7個）

鎖骨（さ こつ）

肩甲骨（けんこうこつ）

胸椎（きょうつい）（12個）

上腕骨（じょうわんこつ）

肋骨（ろっこつ）（12対24個）

脊柱（せきちゅう）

橈骨（とうこつ）

尺骨（しゃっこつ）

腰椎（ようつい）（5個）

仙椎（せんつい）（5個）

尾椎（び つい）（3〜5個）

腸骨（ちょうこつ）

寛骨（かんこつ）

恥骨（ち こつ）

坐骨（ざ こつ）

大腿骨（だいたいこつ）

脛骨（けいこつ）

腓骨（ひ こつ）

内果（ないか）（内くるぶし）

外果（がいか）（外くるぶし）

全身の関節

関節は、骨と骨が連結するところで、からだのさまざまな動きを可能にしています。どこにどんな関節があるのかを理解しておくと、動きのあるポーズが描きやすくなるでしょう。

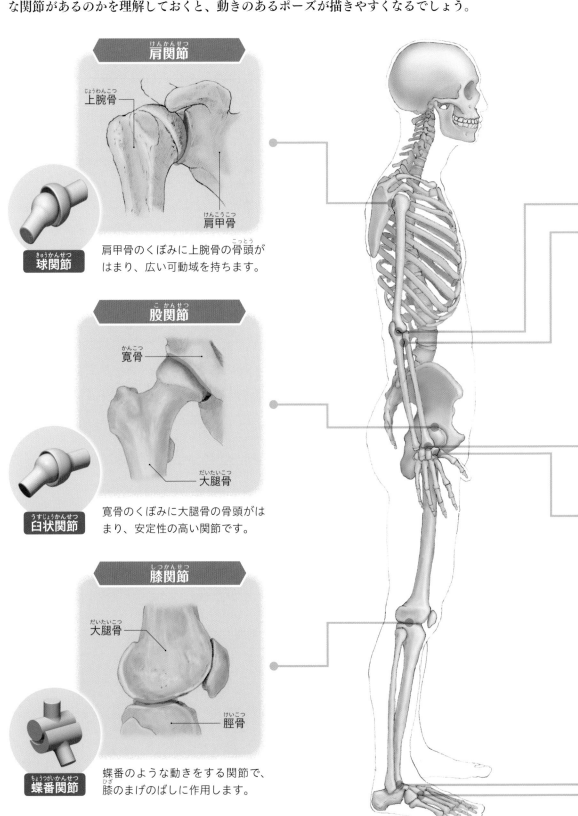

肩関節（けんかんせつ）

上腕骨（じょうわんこつ）

肩甲骨（けんこうこつ）

球関節（きゅうかんせつ）

肩甲骨のくぼみに上腕骨の骨頭（こっとう）がはまり、広い可動域を持ちます。

股関節（こかんせつ）

寛骨（かんこつ）

大腿骨（だいたいこつ）

臼状関節（うすじょうかんせつ）

寛骨のくぼみに大腿骨の骨頭がはまり、安定性の高い関節です。

膝関節（しつかんせつ）

大腿骨（だいたいこつ）

脛骨（けいこつ）

蝶番関節（ちょうつがいかんせつ）

蝶番のような動きをする関節で、膝（ひざ）のまげのばしに作用します。

肘関節（腕尺関節）

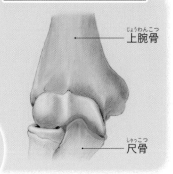

上腕骨

尺骨

蝶番関節

尺骨と上腕骨が作る関節で、肘のまげのばしをおこないます。

肘関節（上橈尺関節）

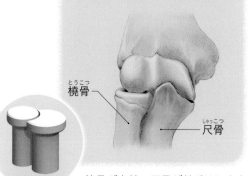

橈骨

尺骨

車軸関節

橈骨が車軸、尺骨が軸受けにあたる関節で、前腕をひねります。

手の関節（橈骨手根関節）

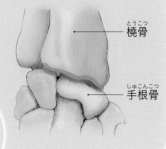

橈骨

手根骨

楕円関節

橈骨の楕円状のくぼみに手根骨がはまり、手首を動かします。

手の関節（手根中手関節）

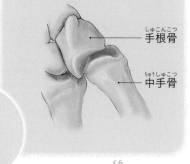

手根骨

中手骨

鞍関節

母指の付け根では鞍状の面がかみ合い、まげのばしなどをします。

足の関節（距腿関節）

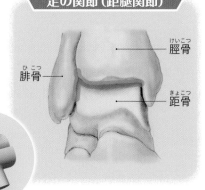

脛骨

腓骨

距骨

蝶番関節

脛骨のくぼみに距骨がはまり、足首のまげのばしをおこないます。

足の関節（楔舟関節）

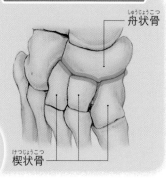

舟状骨

楔状骨

平面関節

2つの面がたがいに滑り合いますが、可動性の小さい関節です。

男性と女性の違い

男性と女性をしっかりと描き分けるためには、「どこが」「どのように」違うのかを具体的に把握しておく必要があります。違いのよくあらわれる部位を見ていきましょう。

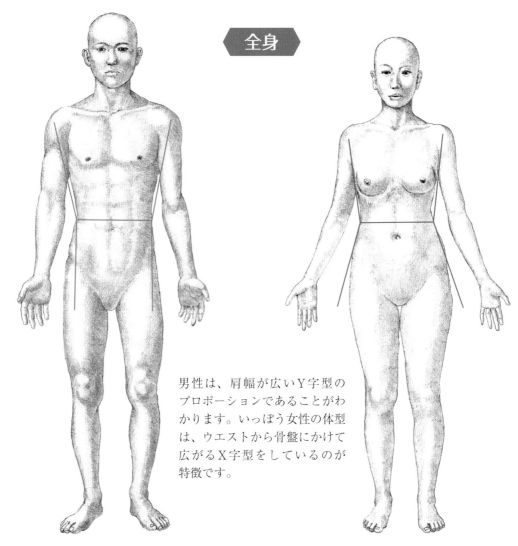

全身

男性は、肩幅が広いY字型のプロポーションであることがわかります。いっぽう女性の体型は、ウエストから骨盤にかけて広がるX字型をしているのが特徴です。

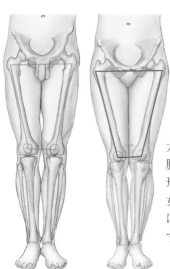

下半身

大腿骨の上端と膝蓋骨を結ぶ台形を比べると、女性のほうがすぼまっています。

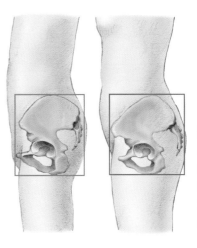

側面から見ると、男性の骨盤は縦に長いのに対し、女性は正方形に近いことがわかります。

頭蓋骨

男性は下顎骨（下あご）が大きく、頭蓋骨全体が角ばっています。女性の頭蓋骨は男性に比べて全体にやや丸みがあり、下顎骨も小さめです。

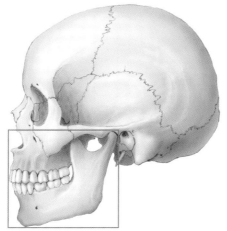
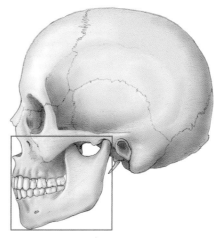

骨盤

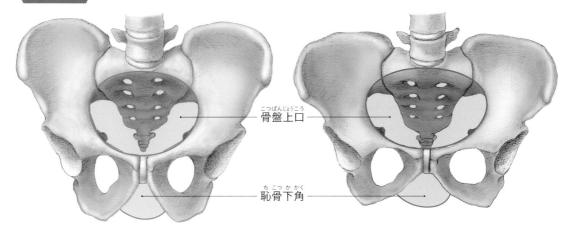

骨盤上口

恥骨下角

骨盤は男性より女性のほうが横に長い形です。骨盤上口の形を比べると、女性のほうが横に長い楕円になっています。また、恥骨下角は女性のほうが広いことがわかります。

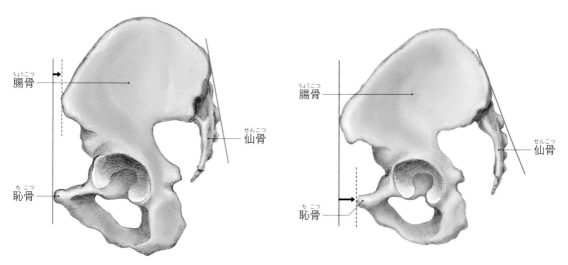

腸骨

仙骨

恥骨

腸骨

仙骨

恥骨

骨盤を横から見ると、男性では恥骨が腸骨より前に出ているのに対し、女性では恥骨が奥に入っています。また、仙骨を比べると、女性のほうが後方へ張り出しているのがわかります。

成長や加齢にともなう体型の変化

人のからだは、幼児から若年、中年、老年へと移行する過程で大きく変化していきます。全身のバランスや体表、骨格がどう変わっていくのかを観察しましょう。

成長による変化

人のからだは、頭や首に比べ、首から下の部分が年齢とともに大きく成長します。肩、へそ、脚の付け根、膝を結んだ線の変化から、それが見てとれるでしょう。

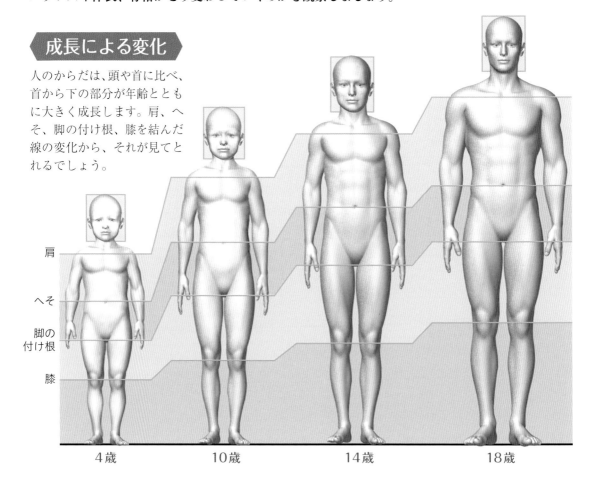

肩
へそ
脚の付け根
膝

4歳　　　　10歳　　　　14歳　　　　18歳

古典で考えられていた理想のプロポーション

ギリシャ・ローマ時代には、解剖学的に理想とされるプロポーションを目指して人体の彫刻やデッサンが制作されていました。その根底には「人体は神によって造られたものであるから、からだの各部の比率は完璧であるに違いない」という思想があったようです。

近世のルネッサンス期に時が及んでも、そうした古典のプロポーションが理想だとされていました。アルブレヒト・デューラーの人体図（右の図）や、レオナルド・ダ・ヴィンチによる有名なデッサンなどがその例です。ただ、解剖学的な美しさに人体を合わせようとするあまり、現実の人のからだからはかけ離れているようにも感じられます。

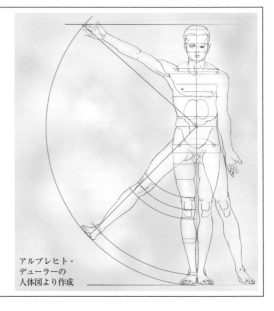

アルブレヒト・デューラーの人体図より作成

加齢による変化

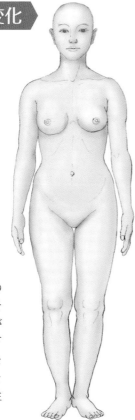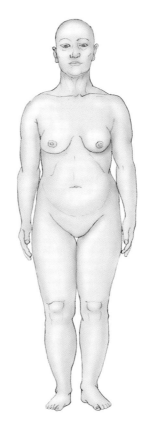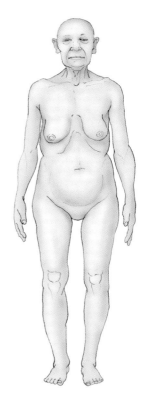

体表

加齢によって、筋肉の
衰え、脂肪の増加、そ
して皮膚の弾力低下が
おこり、たるんだり下
垂したりするようにな
ります。図では女性を
示していますが、男性
も同様です。

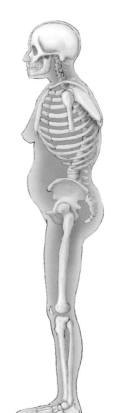

骨格

骨格の変化は、とくに
女性で顕著に見られま
す。中年期から骨量が
減り始め（中図）、徐々
に脊柱が彎曲していき
ます。背中が丸まって
くるとともに腹部が前
方に出て、背丈が低く
なります（右図）。

肥満体型の特徴

太っている人のからだを描くには「脂肪のつき方」を知る必要があります。脂肪のつきやすいところ、つきにくいところをしっかり把握しましょう。

やせ体型と肥満体型

標準体型の人と比べると、やせ体型では脂肪が少ないために骨格が目立つのに対し、肥満体型は全体に丸みを帯びており、骨格ははっきりしないことが多いといえます。

やせ　　　　　標準　　　　　肥満

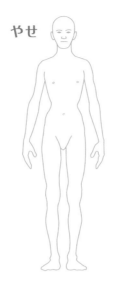 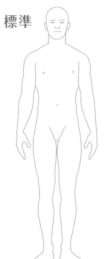 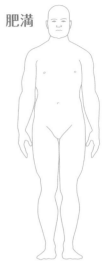

脂肪のつき方

―― ：標準体型のライン

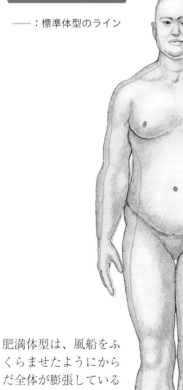 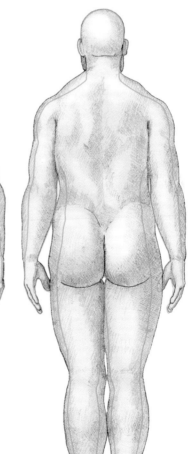 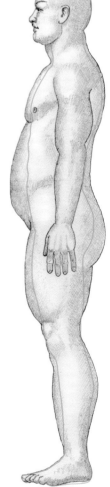

肥満体型は、風船をふくらませたようにからだ全体が膨張しているわけではありません。腹部や殿部、太ももなどには脂肪は厚くつきますが、腕や膝、足首などでは薄いです。

2タイプの肥満

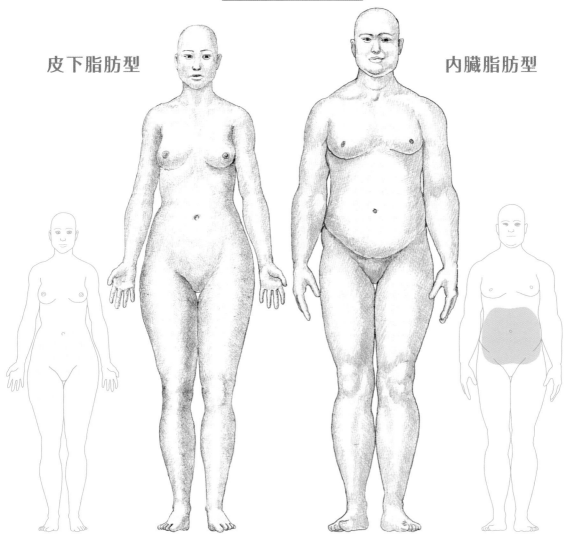

皮下脂肪型

内臓脂肪型

皮下に多く脂肪が溜まるタイプの肥満です。おもに腹部から下半身がふくらむ「洋梨型」の体型で、女性によく見られます。

内臓の周囲に脂肪が蓄積するタイプの肥満。おもに腹部がふくらむ「リンゴ型」の体型で、男性に多く見られます。

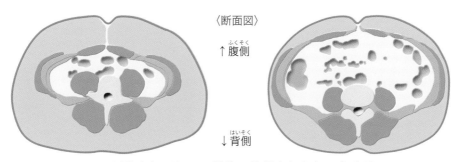

〈断面図〉

↑ 腹側（ふくそく）

↓ 背側（はいそく）

MRI画像を加工して、脂肪の位置をわかりやすく示した腹部の断面図です。タイプによって、皮下脂肪▨と内臓脂肪　のつき方が違うことがよくわかります。

基礎編

第2章
全身の筋とその動き

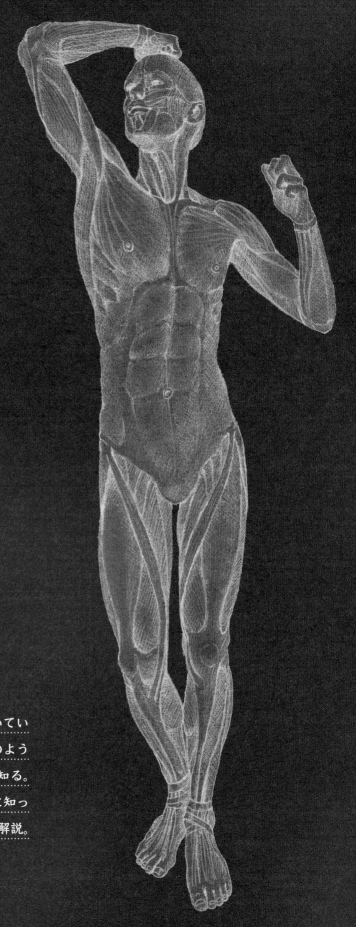

体表にあらわれる筋はどこについてい
るのか、そして、筋は体表にどのよう
な凹凸をもたらしているのかを知る。
さらに、人体の動きを描くために知っ
ておくべき関節の動きについても解説。

表情筋 頭頸部 1

顔面の皮下に広がる筋を表情筋、または顔面筋といいます。複数の筋の動きが組み合わさることにより、さまざまな表情のレパートリーが作り出されます。

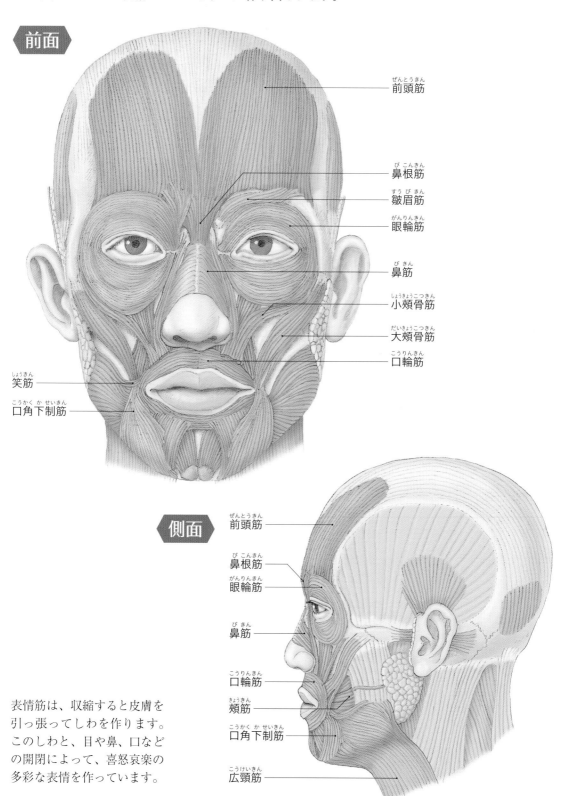

前面

前頭筋（ぜんとうきん）

鼻根筋（びこんきん）

皺眉筋（すうびきん）

眼輪筋（がんりんきん）

鼻筋（びきん）

小頰骨筋（しょうきょうこつきん）

大頰骨筋（だいきょうこつきん）

口輪筋（こうりんきん）

笑筋（しょうきん）

口角下制筋（こうかくかせいきん）

側面

前頭筋（ぜんとうきん）

鼻根筋（びこんきん）

眼輪筋（がんりんきん）

鼻筋（びきん）

口輪筋（こうりんきん）

頰筋（きょうきん）

口角下制筋（こうかくかせいきん）

広頸筋（こうけいきん）

表情筋は、収縮すると皮膚を引っ張ってしわを作ります。このしわと、目や鼻、口などの開閉によって、喜怒哀楽の多彩な表情を作っています。

眉を上げる

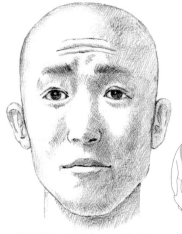

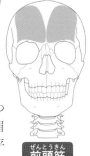

前頭部から眉までの皮膚につく前頭筋が収縮すると、両眉が上がり、額の中央には水平のしわができます。

前頭筋（ぜんとうきん）

口をすぼめる

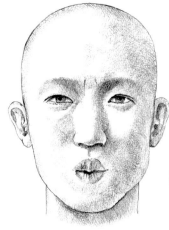

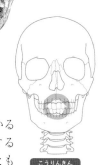

唇のまわりの皮膚についている輪状の口輪筋が強く収縮すると、唇の輪郭が円くなるとともに、全体が少し前に出ます。

口輪筋（こうりんきん）

顔をしかめる

眉間の皮膚を引き下げる鼻根筋と、鼻の穴を圧迫して狭くする鼻筋の働きで、眉間と鼻筋にしわが寄ります。

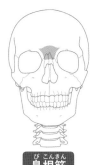

鼻根筋（びこんきん）

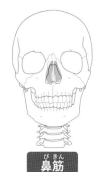

鼻筋（びきん）

作り笑いをする

口輪筋の働きで口が閉じぎみになり、口角につく笑筋の働きで少し口角が上がると、中途半端に笑った表情になります。

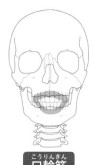

口輪筋（こうりんきん）

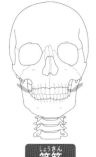

笑筋（しょうきん）

ウインクをする

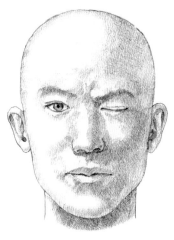

目のまわりを取り囲むようについている一対の眼輪筋の片方だけが強く収縮すると、ウインクになります。

がんりんきん
眼輪筋

歯を食いしばる

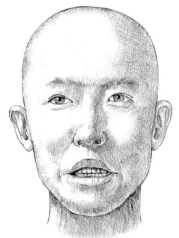

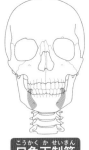

こうかく か せいきん
口角下制筋

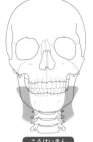

歯を食いしばったときには、口角下制筋が口角を引き下げ、広頸筋が口角を下げるとともに首の皮膚を引き上げています。

こうけいきん
広頸筋

口角を上げる

口角を上げる笑筋と口角を横に引く頬筋の働きで、口角が上がるとともに、頬にくぼみが生まれます。

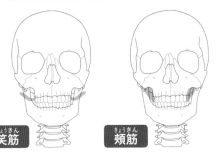

しょうきん
笑筋

きょうきん
頬筋

眉をひそめる

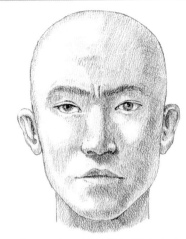

眉の皮下にある皺眉筋が眉を中央に寄せ、鼻根筋が眉間の皮膚を下げることで、眉間に縦じわが　作られます。

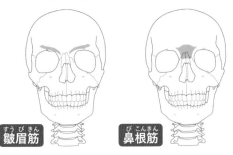

すう び きん
皺眉筋

び こんきん
鼻根筋

感情の表れと表情筋の変化

「表情」は「顔に表れる感情」といってよいでしょう。さまざまな表情はどれも、いくつもの表情筋の働きの組み合わせによって生まれます。表情筋は、目、鼻、口、額、眉間などいろいろな場所にあり、どんな表情のときにおもにどの筋が働いているのかを知っておくことは、繊細な感情表現に役立ちます。

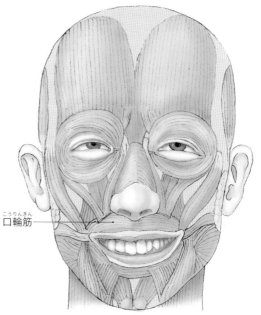

笑い

こうりんきん
口輪筋

やや下がりぎみの目尻に対して、口角がしっかりと上がっているのが特徴です。口輪筋を意識しましょう。

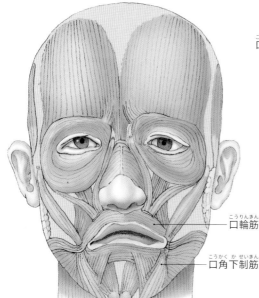

悲しみ

こうりんきん
口輪筋

こうかく か せいきん
口角下制筋

目尻と口角が大きく下がっています。「笑い」の目尻の下がり方とは違っていることがわかると思います。

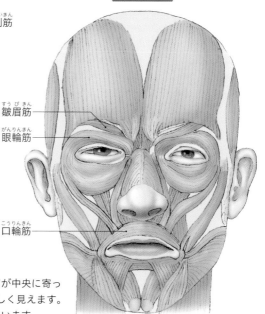

怒り

すう び きん
皺眉筋

がんりんきん
眼輪筋

こうりんきん
口輪筋

目尻と眉尻が上がり、眉が中央に寄っていることで、目元が険しく見えます。口元はかたく閉じられています。

頸部の筋 頭頸部2

頸部（一般には首）の筋は、頭を動かすときに働きます。大小多くの筋がありますが、まずは太い胸鎖乳突筋の位置を把握しましょう。男性の場合、のどぼとけもポイントになります。

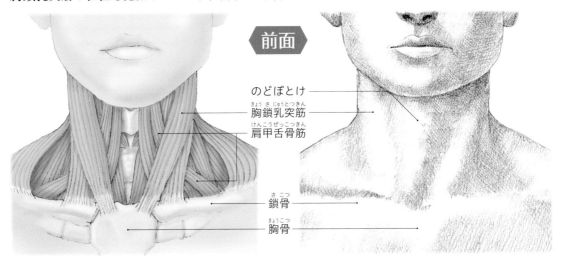

前面

のどぼとけ
きょう　さ　にゅうとつきん
胸鎖乳突筋
けんこうぜっこつきん
肩甲舌骨筋
さ　こつ
鎖骨
きょうこつ
胸骨

前面からは、胸鎖乳突筋の隆起がはっきりとわかります。左右の胸鎖乳突筋が胸骨につく部分のくぼみをしっかりと描き、胸骨の位置が下がらないように注意します。

きょう　さ　にゅうとつきん 胸鎖乳突筋

後頭部の乳様突起と鎖骨・胸骨につく太い筋です。頭を前後左右に倒したり回したりするときに働きます。

■：起始　■：停止

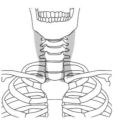

けんこうぜっこつきん 肩甲舌骨筋

胸鎖乳突筋の後ろにあり、のどぼとけ上方の舌骨と、肩甲骨につきます。舌骨を後方へ引き安定させます。

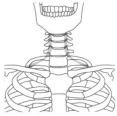

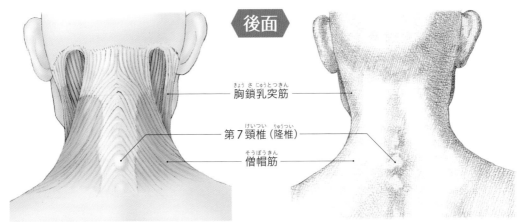

後面

きょう　さ　にゅうとつきん
胸鎖乳突筋

けいつい　りゅうつい
第7頸椎（隆椎）

そうぼうきん
僧帽筋

後頭部の下、首の後ろのくぼみを意識しましょう。体表から触れる第7頸椎（隆椎）は、頸部と胸部の境界です。

きょう　さ　にゅうとつきん 胸鎖乳突筋

後面から見ると、後頭部についていることがよくわかります。首をのばす働きもあります。

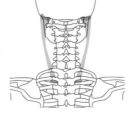

そうぼうきん 僧帽筋

首から背中の上部までをおおう大きな菱形の筋です。首をのばしたり、横に倒したりする作用があります。

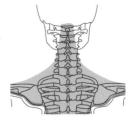

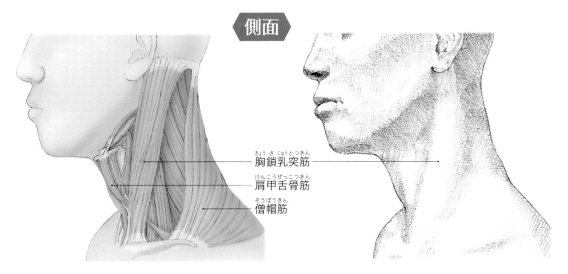

側面

胸鎖乳突筋が耳の後ろから鎖骨へ走っているのがよくわかります。
また、のどぼとけの隆起も見られます。

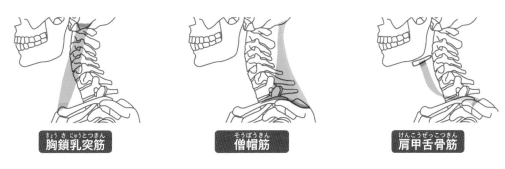

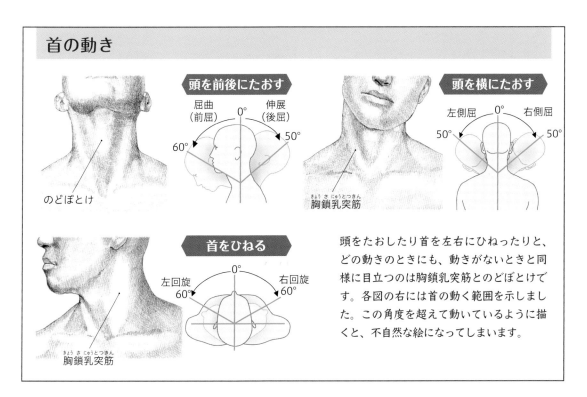

首の動き

頭を前後にたおす

屈曲（前屈）　0°　伸展（後屈）

60°　50°

のどぼとけ

頭を横にたおす

左側屈　0°　右側屈

50°　50°

胸鎖乳突筋

首をひねる

左回旋　0°　右回旋

60°　60°

胸鎖乳突筋

頭をたおしたり首を左右にひねったりと、どの動きのときにも、動きがないときと同様に目立つのは胸鎖乳突筋とのどぼとけです。各図の右には首の動く範囲を示しました。この角度を超えて動いているように描くと、不自然な絵になってしまいます。

胸部・背部の筋 体幹1

胸郭と呼ばれる、鳥かごのような骨格をおおっているのが胸部の筋（胸筋）です。胸部の筋のうちいくつかは、腕の動きにかかわっています。

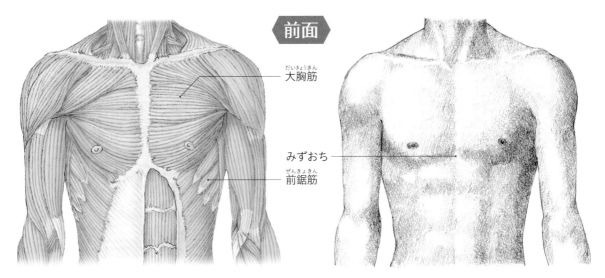

前面

大胸筋（だいきょうきん）

みずおち

前鋸筋（ぜんきょきん）

ポイントは、大きな大胸筋です。左右の大胸筋と胸骨が作る凹凸、そしてみずおちのくぼみを意識しましょう。

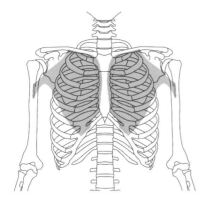

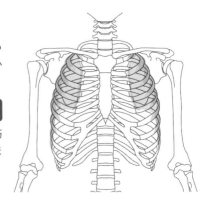

大胸筋（だいきょうきん）

鎖骨・胸骨・肋骨と上腕骨につく大きな扇状の筋で、腕を動かす作用があります。

前鋸筋（ぜんきょきん）

肋骨と肩甲骨の内側につく筋で、胸郭の側面をおおっています。肩甲骨を前に引きます。

■：起始　■：停止

腕の動きと大胸筋

大胸筋は右図のように3つの筋束に分かれていて、下の2つの筋束は上の筋束（青い部分）の下に入り込んでいます。腕を上げると、上の筋束が反転するような状態になり、筋束の重なりはなくなります。

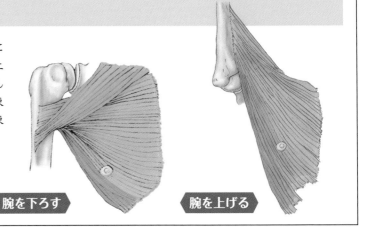

腕を下ろす

腕を上げる

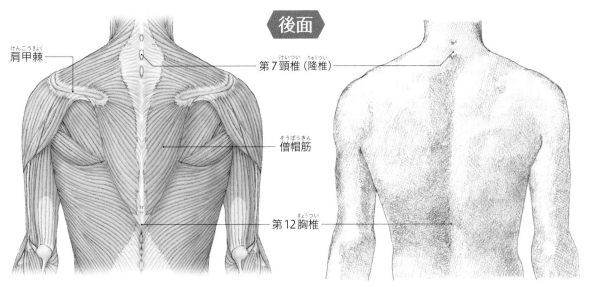

<ruby>後面<rt></rt></ruby>

<ruby>肩甲棘<rt>けんこうきょく</rt></ruby>

<ruby>第 7 頸椎<rt>けいつい</rt></ruby>（<ruby>隆椎<rt>りゅうつい</rt></ruby>）

<ruby>僧帽筋<rt>そうぼうきん</rt></ruby>

<ruby>第 12 胸椎<rt>きょうつい</rt></ruby>

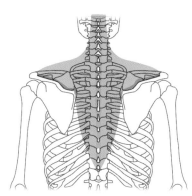

僧帽筋下部のとがった部分（第 12 胸椎のあたり）と、首の後ろの出っ張り（隆椎）、左右の肩甲棘の 4 ヵ所の位置をまず決めてから描くと、バランスが取りやすいでしょう。

<ruby>僧帽筋<rt>そうぼうきん</rt></ruby>

後頭部・胸椎と肩甲棘・鎖骨をつなぐ大きな筋です。肩甲骨を動かします。

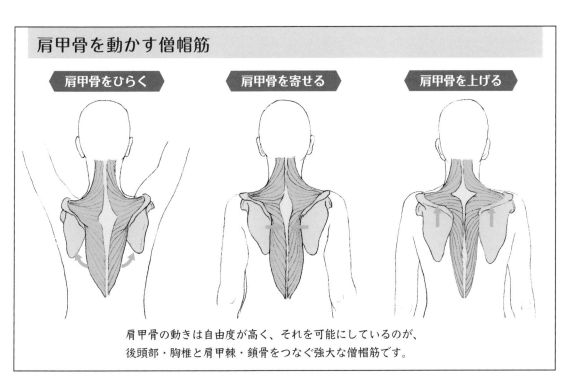

肩甲骨を動かす僧帽筋

| 肩甲骨をひらく | 肩甲骨を寄せる | 肩甲骨を上げる |

肩甲骨の動きは自由度が高く、それを可能にしているのが、
後頭部・胸椎と肩甲棘・鎖骨をつなぐ強大な僧帽筋です。

腹部・背部の筋 体幹2

腹部には、胸部の胸郭（胸骨・胸椎・肋骨）のような骨格がなく、多層の腹部の筋（腹筋）でできた腹壁が内臓を守っています。脊柱の後ろにある背部の筋もあわせて見ていきましょう。

前面

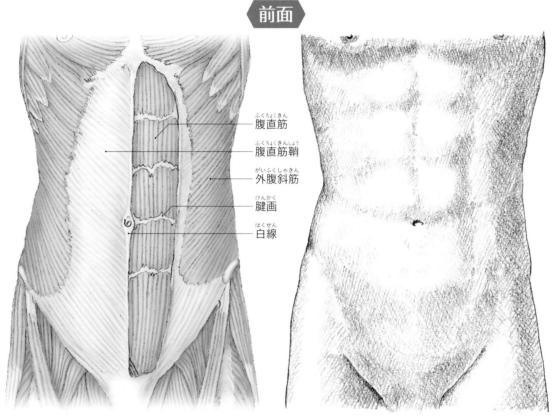

腹直筋（ふくちょくきん）
腹直筋鞘（ふくちょくきんしょう）
外腹斜筋（がいふくしゃきん）
腱画（けんかく）
白線（はくせん）

からだのやや奥にある腹直筋が、腱画と白線によって分割されているようすが体表にあらわれています。腹直筋鞘を通して見えていることを意識するとよいでしょう。

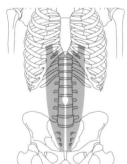

腹直筋（ふくちょくきん）

からだの中央を縦に走る筋で、背骨を前にまげます。強く収縮させると、腱画で仕切られた筋がふくらみます。

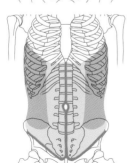

外腹斜筋（がいふくしゃきん）

腹部の側面をおおう大きな筋で、腹壁のもっとも外側にあります。肋骨を引き下げて背骨を前にまげます。

■：起始　■：停止

体幹の動き

左右にひねる

右回旋
40°

左回旋
40°

0°

後面

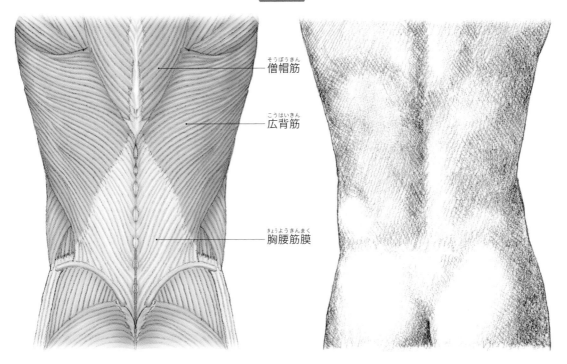

僧帽筋（そうぼうきん）

広背筋（こうはいきん）

胸腰筋膜（きょうようきんまく）

背中の大部分を占める広背筋が発達している人では、背部の下部からわきの下へ向かって、大きなV字が見られます。

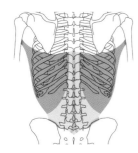

広背筋（こうはいきん）

背部のもっとも大きな筋で、上腕骨につき、胸腰筋膜に連なります。上腕骨を後内方へ引いたり、ひねったりする作用があります。

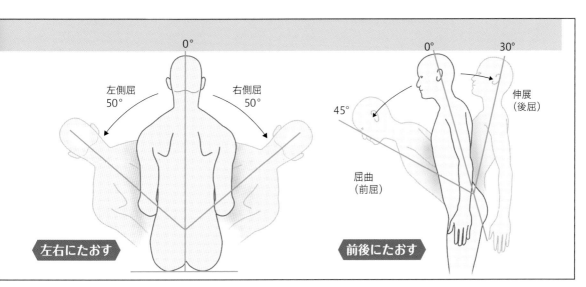

0°

左側屈 50°　右側屈 50°

左右にたおす

0°　30°

45°

伸展（後屈）

屈曲（前屈）

前後にたおす

殿部の筋 体幹3

殿部の筋は、骨盤と大腿骨をつないでいます。股関節に作用して、大腿のさまざまな動きを生み出します。

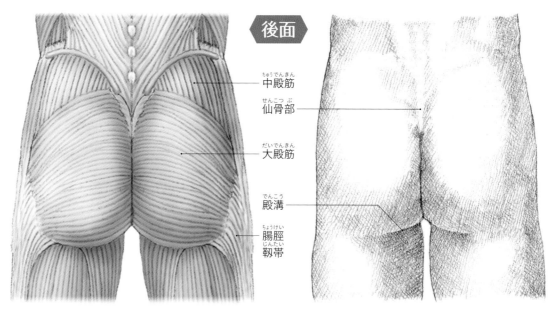

後面

中殿筋（ちゅうでんきん）
仙骨部（せんこつぶ）
大殿筋（だいでんきん）
殿溝（でんこう）
腸脛靱帯（ちょうけい じんたい）

仙骨部のくぼみや、腸脛靱帯へ連なる部分の凹みが、大殿筋のふくらみを際立たせています。大殿筋は大腿の筋にかぶさるような位置にあり、その境界は殿溝としてはっきりわかります。

大殿筋（だいでんきん）

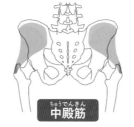

中殿筋（ちゅうでんきん）

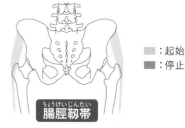

腸脛靱帯（ちょうけいじんたい）

：起始
：停止

殿部でもっとも大きな筋で、腸脛靱帯に連なります。大腿を後ろにのばすときや、立ち上がるときに働きます。

大殿筋の下に入り込むように位置する、扇状の筋です。大腿を横方向に上げたり、内側にまわしたりします。

大腿の筋をおおう筋膜が発達したもので、腸骨稜と下腿の骨の間に張っています。膝のまげのばしなどに働きます。

殿部の筋の働き

殿部の筋は、脚のさまざまな運動に働いています。たとえば、脚を横に上げる場合は中殿筋と大腿筋膜張筋が収縮しますし（左図）、脚を後ろに上げる場合は大殿筋が収縮します（右図）。このように、働いている筋は違いますが、いずれの場合も、腸脛靱帯がピンと張った状態を作り出すことで脚全体が上がっていることに注目しましょう。

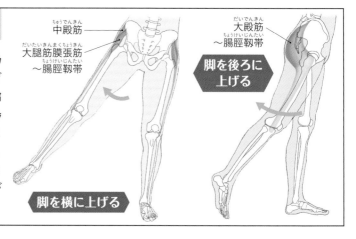

中殿筋（ちゅうでんきん）
大腿筋膜張筋（だいたいきんまくちょうきん）
～腸脛靱帯（ちょうけいじんたい）

大殿筋（だいでんきん）
～腸脛靱帯（ちょうけいじんたい）

脚を後ろに上げる

脚を横に上げる

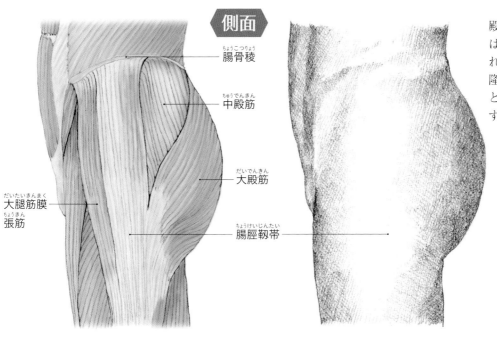

側面

腸骨稜 ちょうこつりょう

中殿筋 ちゅうでんきん

大殿筋 だいでんきん

大腿筋膜
張筋 だいたいきんまくちょうきん

腸脛靱帯 ちょうけいじんたい

殿部と腰部の境は腸骨稜で、触れるとわずかに隆起していることがわかります。

体幹のひねり

→骨盤を正面向きに固定し、上半身を右にひねった状態です。骨格を見ると（左図）、5つの腰椎が少しずつ回転することで、それらの回転を合わせたぶん、胸部の骨格が右にひねった状態になっていることがわかるでしょう。「ひねる」とは、単に上半身の角度を変えればよいのではないことを意識しましょう。

腰椎 ようつい

正面

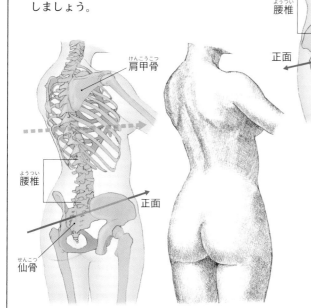

肩甲骨 けんこうこつ

腰椎 ようつい

正面

仙骨 せんこつ

←上と同じ状態を後ろから見てみます。右にひねったことで、左の肩甲骨はほとんど見えませんが、右のほうはよく見えます。脊柱のラインもはっきりと出ています。「ひねり」を描くときには「どの部分が見えるか」もポイントになります。

肩の筋 上肢1

肩の筋の多くは肩関節の周囲にあり、その安定性を高めています。しかし、肩の筋でもっとも大きいのは肩関節をおおう三角筋で、これが肩の丸みをおびた輪郭を形作っています。

前面

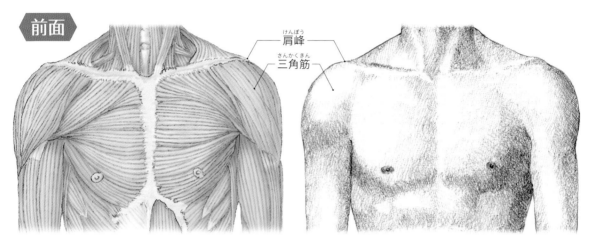

けんぽう
肩峰
さんかくきん
三角筋

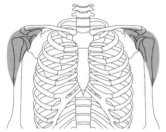

さんかくきん 三角筋

厚みのある強靭な筋で、体表からも触れることができます。腕を側方や前方、後方に上げるときに働きます。

■：起始　■：停止

肩の主役は三角筋です。さまざまな方向に走る筋束を持つ大きな筋が肩関節をおおうことで作られる肩の丸みと、肩峰の凹みを意識して描くとよいでしょう。

側面

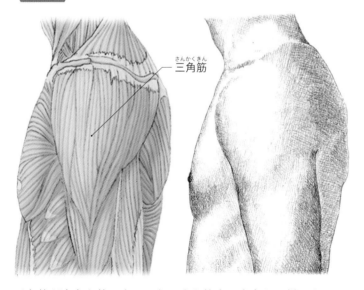

さんかくきん
三角筋

三角筋が大きな筋であること、また筋束の方向が一様でないことがはっきりとわかります。

肩関節を支える筋

肩関節は関節面（青い部分）が小さく、安定性に乏しいため、肩甲骨と上腕骨につく複数の筋がその安定性を高めています。

〈前面〉

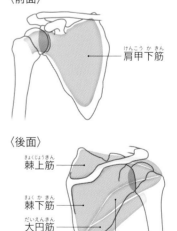

けんこう か きん
肩甲下筋

〈後面〉

きょくじょうきん
棘上筋

きょく か きん
棘下筋

だいえんきん
大円筋

しょうえんきん
小円筋

後面

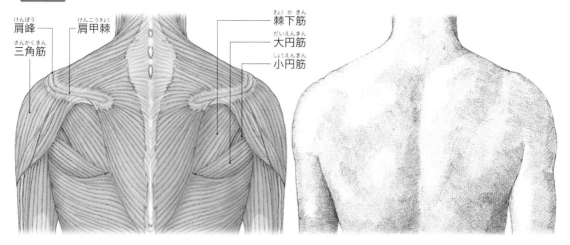

肩峰
けんぼう

肩甲棘
けんこうきょく

三角筋
さんかくきん

棘下筋
きょく か きん

大円筋
だいえんきん

小円筋
しょうえんきん

体表にあらわれている肩峰と肩甲棘が、陰影をつけるときのポイントになります。

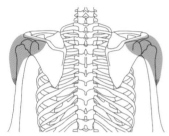

三角筋
さんかくきん

後面では肩甲棘と上腕骨につき、前面と同様に肩を広くおおっています。

肩甲骨の動き

腕を動かす上肢帯（鎖骨と肩甲骨）は、その一部が筋によって胸郭とつながっているだけなので、さまざまな方向に動きます。それを端的に表しているのが、これらの図です。肩甲棘（赤紫色の箇所）の位置や角度の変化に注目してください。正位置の図と比較すると、上腕を動かすときには上肢帯が働いていることが見てとれるでしょう。

肩甲骨の正位置

腕を上げる

肩を上げる

腕を後ろに引く

腕を前に突き出す

肩を下げる

上腕の筋 上肢2

上腕は肩と肘の間に位置し、上腕の筋は肘関節に作用して前腕を動かします。前面にはおもにまげるときに働く屈筋が、後面にはのばすときに働く伸筋があります。

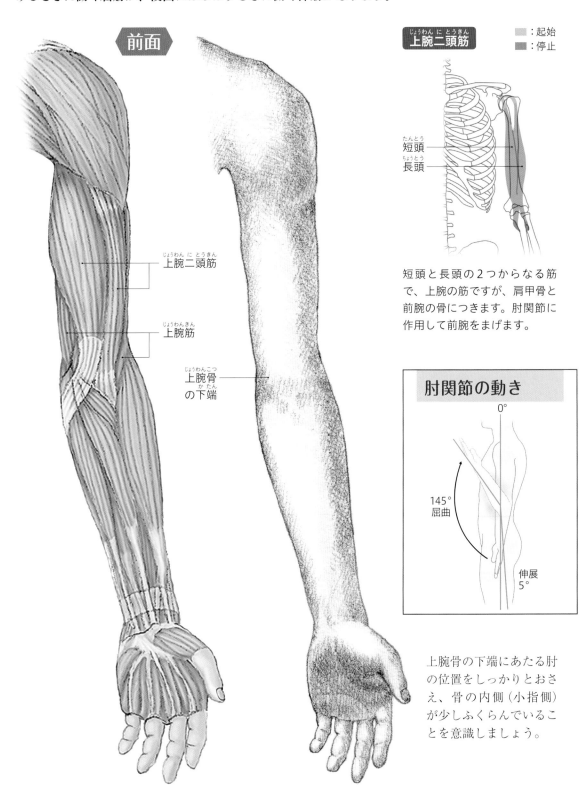

前面

上腕二頭筋（じょうわんにとうきん）

上腕筋（じょうわんきん）

上腕骨（じょうわんこつ）の下端（かたん）

上腕二頭筋（じょうわんにとうきん）

■：起始
■：停止

短頭（たんとう）
長頭（ちょうとう）

短頭と長頭の2つからなる筋で、上腕の筋ですが、肩甲骨と前腕の骨につきます。肘関節に作用して前腕をまげます。

肘関節の動き

0°

145°
屈曲

伸展
5°

上腕骨の下端にあたる肘の位置をしっかりとおさえ、骨の内側（小指側）が少しふくらんでいることを意識しましょう。

後面

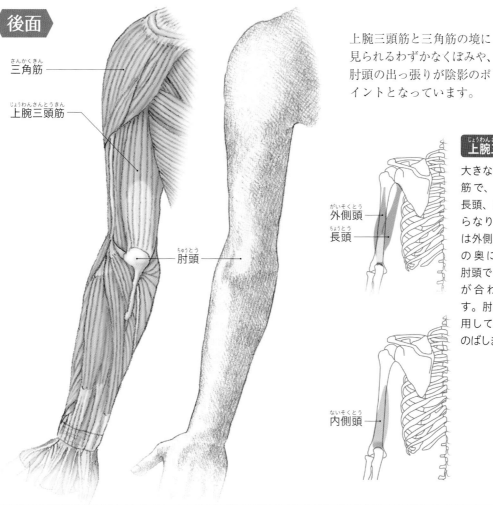

三角筋

上腕三頭筋

肘頭

上腕三頭筋と三角筋の境に見られるわずかなくぼみや、肘頭の出っ張りが陰影のポイントとなっています。

上腕三頭筋

外側頭

長頭

内側頭

大きな紡錘状の筋で、外側頭、長頭、内側頭からなり（内側頭は外側頭・長頭の奥にある）、肘頭で3つの頭が合わさります。肘関節に作用して、前腕をのばします。

上腕の筋の働き

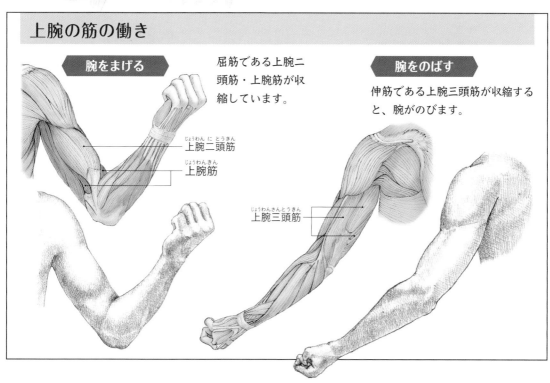

腕をまげる

屈筋である上腕二頭筋・上腕筋が収縮しています。

上腕二頭筋

上腕筋

腕をのばす

伸筋である上腕三頭筋が収縮すると、腕がのびます。

上腕三頭筋

前腕の筋 上肢3

前腕は肘と手をつなぐ部分で、前腕の筋は手や指の関節に作用して手首や指を動かします。上腕同様、おもに前面に屈筋、後面に伸筋があります。

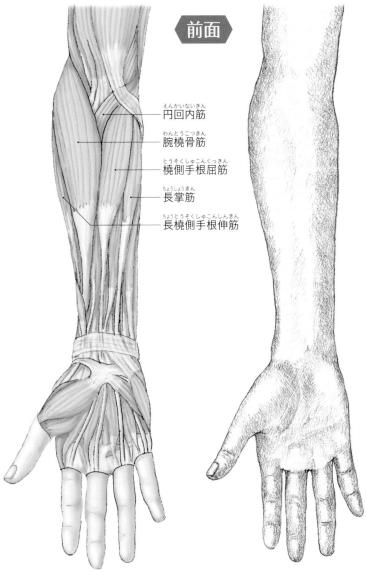

前面

円回内筋
えんかいないきん

腕橈骨筋
わんとうこつきん

橈側手根屈筋
とうそくしゅこんくっきん

長掌筋
ちょうしょうきん

長橈側手根伸筋
ちょうとうそくしゅこんしんきん

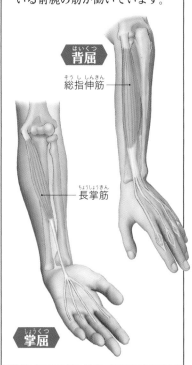

手首を動かす筋

手首を前後にまげるときには、腱を手背や手掌にまでのばしている前腕の筋が働いています。

背屈
はいくつ

総指伸筋
そうししんきん

長掌筋
ちょうしょうきん

掌屈
しょうくつ

円回内筋と腕橈骨筋に挟まれた肘の内側の凹み、手首との境界のくぼみをしっかりと描きましょう。腕橈骨筋が作る腕のふくらみもポイントです。

腕橈骨筋
わんとうこつきん

前腕のもっとも外側にある紡錘状の筋です。上腕骨の下部と橈骨の下端につき、前腕をまげます。

橈側手根屈筋
とうそくしゅこんくっきん

上腕骨の下端と指の骨につく細長い筋で、手首を手掌側にまげたり、小指側にまげたりします。

長掌筋
ちょうしょうきん

上腕骨下端と手の骨につく細長い筋で、手掌では腱となって扇状に広がります。手首をまげます。

■：起始
■：停止

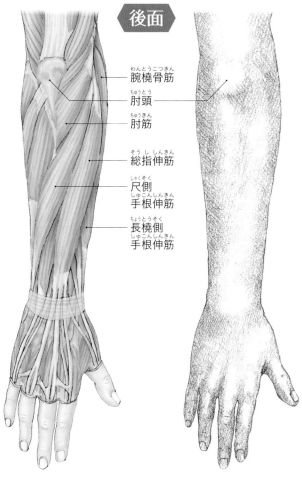

後面

- 腕橈骨筋 わんとうこつきん
- 肘頭 ちゅうとう
- 肘筋 ちゅうきん
- 総指伸筋 そうししんきん
- 尺側手根伸筋 しゃくそくしゅこんしんきん
- 長橈側手根伸筋 ちょうとうそくしゅこんしんきん

肘頭の出っ張りと、それによってできる両側のくぼみのコントラストを表現します。また、手首にできるわずかな隆起と手のなだらかなラインも意識しましょう。

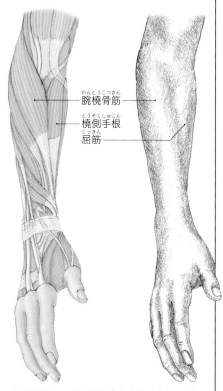

前腕のひねりと筋

- 腕橈骨筋 わんとうこつきん
- 橈側手根屈筋 とうそくしゅこん くっきん

肘を固定した状態で前腕を内側に（手掌が体幹に向く）ひねると、腕橈骨筋が目立つようになります。

円回内筋 えんかいないきん

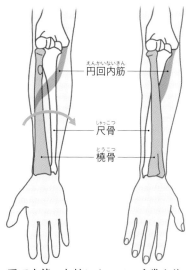

- 円回内筋 えんかいないきん
- 尺骨 しゃっこつ
- 橈骨 とうこつ

円回内筋の収縮によって、手掌を前に向けた状態（左図）から前腕をひねると（右図）、橈骨と尺骨が交叉します。

 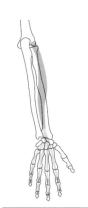 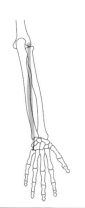

長橈側手根伸筋 ちょうとうそくしゅこんしんきん

手首をのばしたり、親指側へまげたりします。こぶしを握るときに欠かせない筋です。

総指伸筋 そうししんきん

上腕骨と指につく筋で、手背では4つに分かれます。親指以外の4本の指をのばします。

尺側手根伸筋 しゃくそくしゅこんしんきん

上腕骨と小指につく筋で、手首に作用し、手首をのばしたり、小指側へまげたりします。

手の筋 上肢4

手には、短い筋群と、前腕の筋からのびる腱があります。それらが5本の指を柔軟に動かし、物をつかむなどの動作を可能にしています。

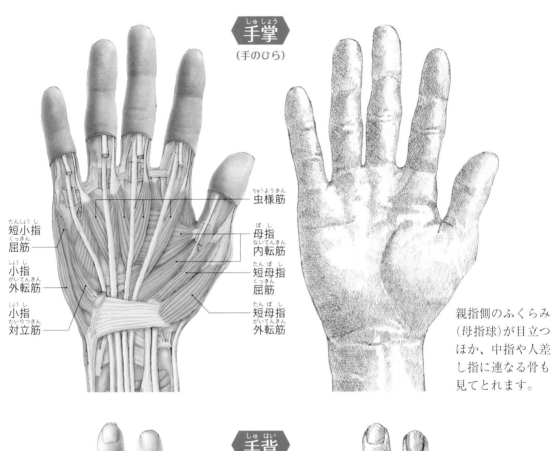

手掌（しゅしょう）
（手のひら）

虫様筋（ちゅうようきん）

短小指屈筋（たんしょうし くっきん）

小指外転筋（しょうし がいてんきん）

小指対立筋（しょうし たいりつきん）

母指内転筋（ぼし ないてんきん）

短母指屈筋（たんぼし くっきん）

短母指外転筋（たんぼし がいてんきん）

親指側のふくらみ（母指球）が目立つほか、中指や人差し指に連なる骨も見てとれます。

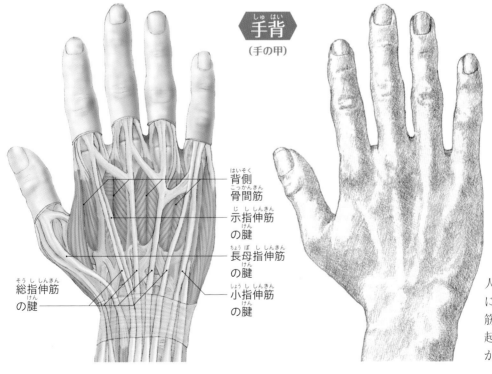

手背（しゅはい）
（手の甲）

背側骨間筋（はいそく こっかんきん）

示指伸筋の腱（じし しんきん けん）

長母指伸筋の腱（ちょうぼし しんきん けん）

小指伸筋の腱（しょうし しんきん けん）

総指伸筋の腱（そうし しんきん けん）

人差し指から小指に向かう、総指伸筋の4本の腱が隆起しているようすがわかります。

指の運動に使う筋を示しました。どの動きのときにはどこの筋を使っているのか、自分の手を実際に動かし、触れて、確かめてみましょう。

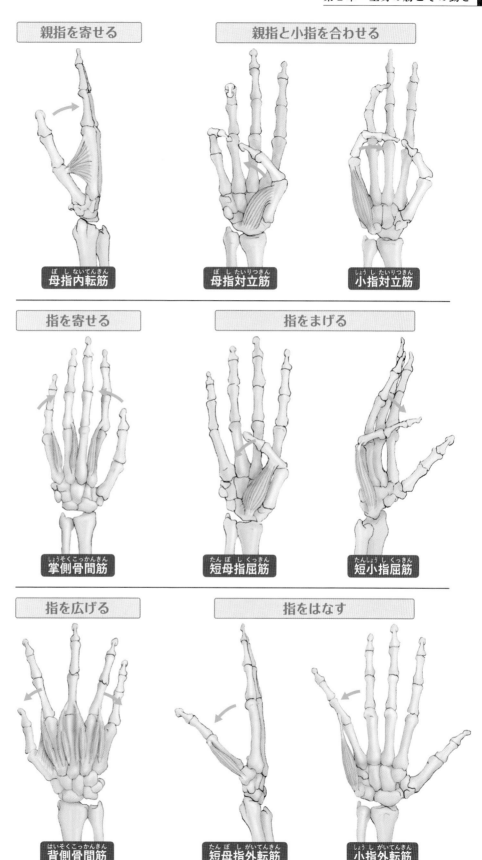

親指を寄せる

母指内転筋

親指と小指を合わせる

母指対立筋

小指対立筋

指を寄せる

掌側骨間筋

指をまげる

短母指屈筋

短小指屈筋

指を広げる

背側骨間筋

指をはなす

短母指外転筋

小指外転筋

＊母指対立筋と掌側骨間筋は深部の筋なので、46ページの図では見えません。

手のいろいろな動き

手は、動きのバリエーションも多く、人体の中でも描くのが難しい部位のひとつです。自分の手を動かしてよく観察しながら、さまざまなポーズを描く練習をしてみましょう。

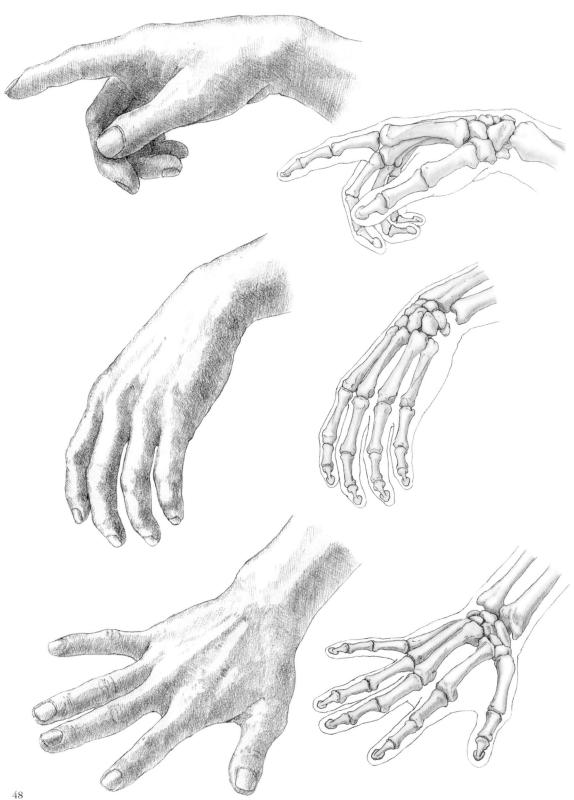

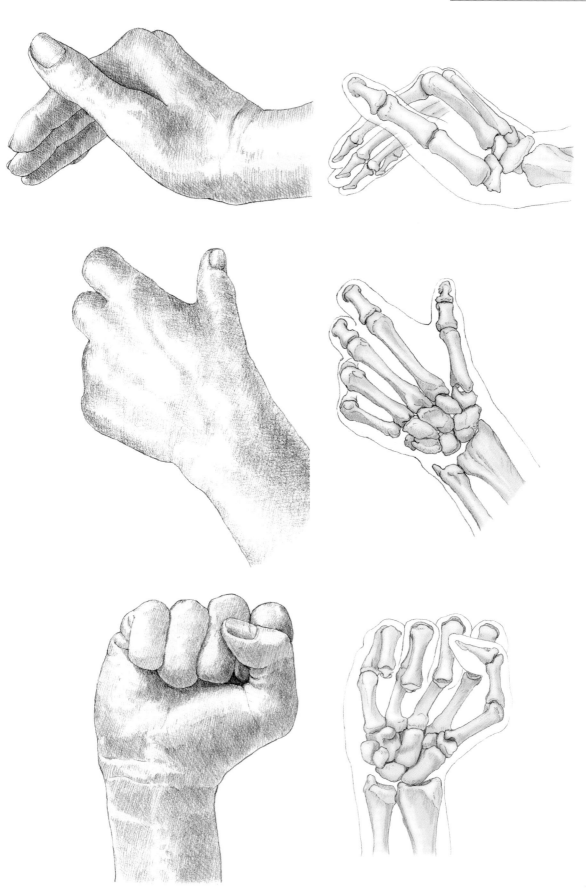

大腿の筋 下肢1

大腿は、一般に太ももと呼ばれる部分で、骨格を作る大腿骨は人体最長の骨です。大腿の筋は、股関節や膝関節に作用して大腿や下腿を動かしています。

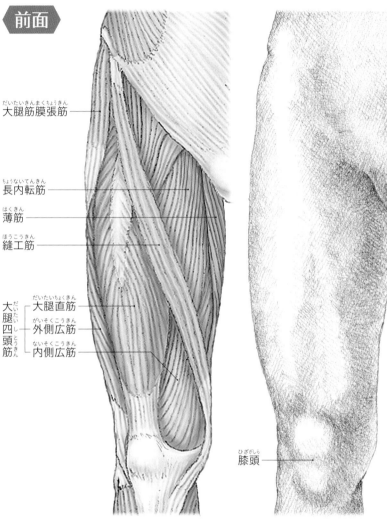

前面

だいたいきんまくちょうきん
大腿筋膜張筋

ちょうないてんきん
長内転筋

はくきん
薄筋

ほうこうきん
縫工筋

だいたいしとうきん
大腿
四頭
筋

だいたいちょくきん
大腿直筋

がいそくこうきん
外側広筋

ないそくこうきん
内側広筋

ひざがしら
膝頭

膝頭の出っ張りと、その上にある大腿直筋や内側広筋のふくらみを意識しましょう。人によっては、縫工筋も目立ちます。

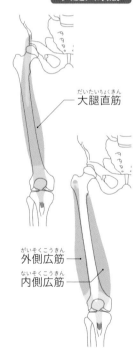

大腿四頭筋
だいたいしとうきん

だいたいちょくきん
大腿直筋

がいそくこうきん
外側広筋

ないそくこうきん
内側広筋

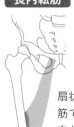

長内転筋
ちょうないてんきん

扇状の大きな筋で、下方に向かって広がっています。大腿を内転（内側に寄せる）します。

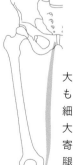

薄筋
はくきん

大腿のもっとも内側にある細い筋です。大腿を内側に寄せたり、下腿をまげたりします。

縫工筋
ほうこうきん

大腿をまげて外にひらき、下腿をまげます。両側の筋が同時に作用すると、あぐらをかく動作になります。

大腿の前面と側面の大部分をおおう大きな筋で、4つの部位からできています（中間広筋はこの図では見えない）。膝をのばします。

■：起始　■：停止

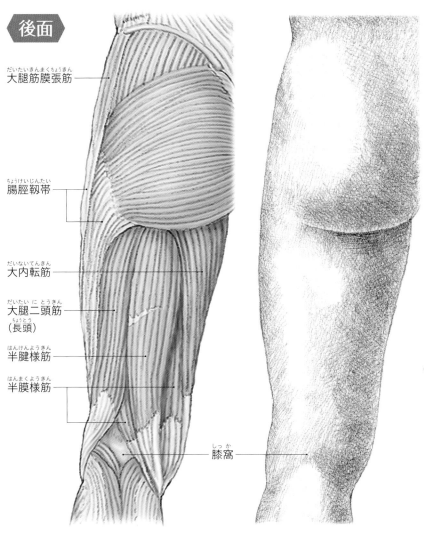

後面

大腿筋膜張筋
だいたいきんまくちょうきん

腸脛靱帯
ちょうけいじんたい

大内転筋
だいないてんきん

大腿二頭筋
（長頭）
だいたいにとうきん
ちょうとう

半腱様筋
はんけんようきん

半膜様筋
はんまくようきん

膝窩
しっか

内側にある半膜様筋と外側にある大腿二頭筋のふくらみを意識して陰影をつけましょう。また、膝の裏には、筋と腱に囲まれたくぼみ（膝窩）があります。

大腿二頭筋（長頭）
だいたいにとうきん　ちょうとう

紡錘状の筋で、後ろにある短頭とともに膝をまげます。半腱様筋、半膜様筋と合わせた3つをハムストリングスと呼びます。

大腿筋膜張筋
だいたいきんまくちょうきん

殿部の筋で、腸脛靱帯を介して頸骨につきます。大腿をまげるほか、膝をのばします。

大内転筋
だいないてんきん

大腿骨のほぼ全体につく、大きく強力な筋です。大腿を内転（内側に寄せる）します。

半腱様筋
はんけんようきん

坐骨と脛骨につく紡錘状の筋です。膝をまげたり、股関節をのばしたりします。

半膜様筋
はんまくようきん

半腱様筋の奥にある、幅広の平たい筋です。膝をまげたり、股関節をのばしたりします。

下腿の筋 下肢2

下腿は膝と足をつなぐ部分で、前面に向こうずね、後面にはふくらはぎがあります。下腿の筋は、足の関節に作用して足首や足の指を動かしています。

前面

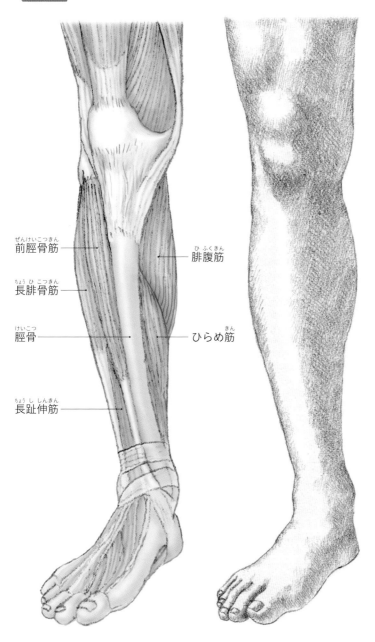

前脛骨筋（ぜんけいこつきん）

長腓骨筋（ちょうひこつきん）

脛骨（けいこつ）

長趾伸筋（ちょうししんきん）

腓腹筋（ひふくきん）

ひらめ筋（きん）

体表から触れることのできる脛骨の出っ張り（向こうずね）を境にして、陰影をつけましょう。また、腓腹筋のふくらみも陰影のポイントになります。

前脛骨筋（ぜんけいこつきん）

脛骨に沿って走る筋で、腱が足の骨までのびています。足首をまげて足を反らせ、足の裏をからだの内側に向けます。

長腓骨筋（ちょうひこつきん）

腓骨に沿って走る長い筋で、腱が足の骨までのびています。足の裏をからだの外側に向け、足首をのばして足先を下に向けます。

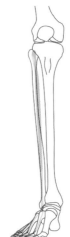

長趾伸筋（ちょうししんきん）

前脛骨筋に沿って走り、腱は足の甲で4本に分かれて足趾（足の指）の骨につきます。外側の4本の指をのばし、足首をまげます。

■：起始
■：停止

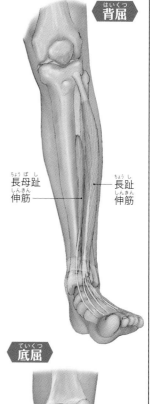

足首の動き

下腿の筋の多くは足首の関節を越えて足に腱をのばし、足首をまげたりのばしたりしています。

背屈

長母趾伸筋（ちょうぼししんきん）

長趾伸筋（ちょうししんきん）

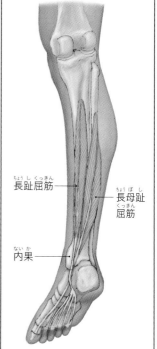

底屈

長趾屈筋（ちょうしくっきん）

長母趾屈筋（ちょうぼしくっきん）

内果（ないか）

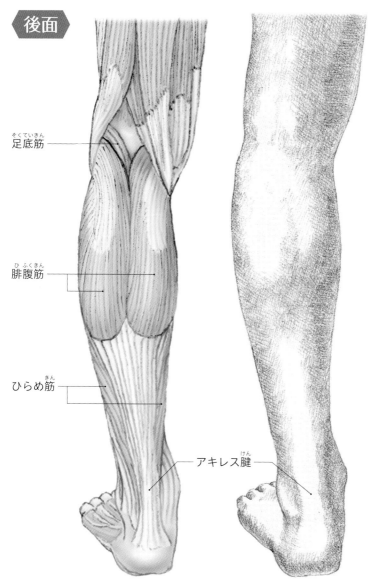

後面

足底筋（そくていきん）

腓腹筋（ひふくきん）

ひらめ筋（きん）

アキレス腱（けん）

ふくらはぎのもっとも高い部分となる腓腹筋のふくらみがいちばんのポイントです。自分で触れてみるのもいいでしょう。また、アキレス腱の両側のくぼみもはっきりと描きましょう。

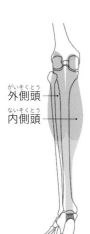

外側頭（がいそくとう）

内側頭（ないそくとう）

腓腹筋・アキレス腱（ひふくきん・けん）

腓腹筋は内側頭と外側頭からなり、アキレス腱を介してかかとへのびます。足首をのばすほか、歩くときには膝をまげます。

ひらめ筋（きん）

腓腹筋の奥にあり、腓腹筋と合わさってアキレス腱に移行します。足首をのばし、かかとを上げます。

足の筋 下肢3

足には、短い筋群と、下腿の筋からのびる腱があります。手とは違い、それぞれの指を細かく動かすというより、足を安定させる、歩くときに凹凸に対応する、などがおもな働きです。

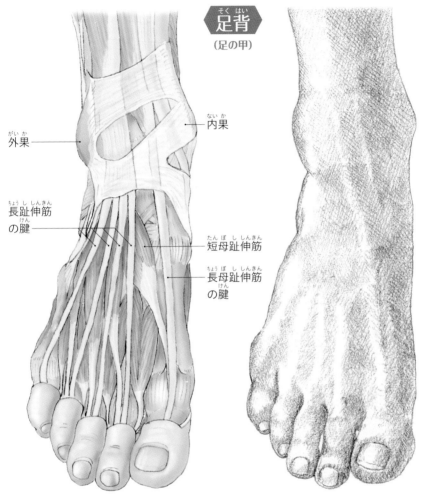

足背（そくはい）
（足の甲）

外果（がいか）

内果（ないか）

長趾伸筋の腱（ちょうししんきん けん）

短母趾伸筋（たんぼししんきん）

長母趾伸筋の腱（ちょうぼししんきん けん）

足首からつま先へのびる腱が体表に浮き出ているところや、くるぶし（外果・内果）の出っ張りなど、凹凸をしっかり描きましょう。

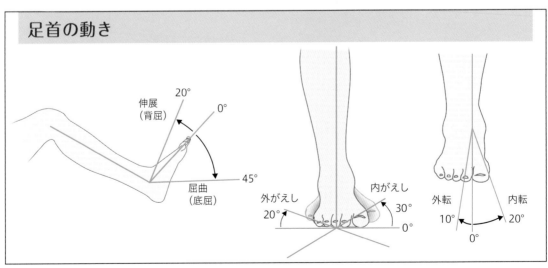

足首の動き

伸展（背屈） 20°
0°
屈曲（底屈） 45°

外がえし 20°
内がえし 30°
0°

外転 10°
内転 20°
0°

足底（そくてい）

（足の裏）

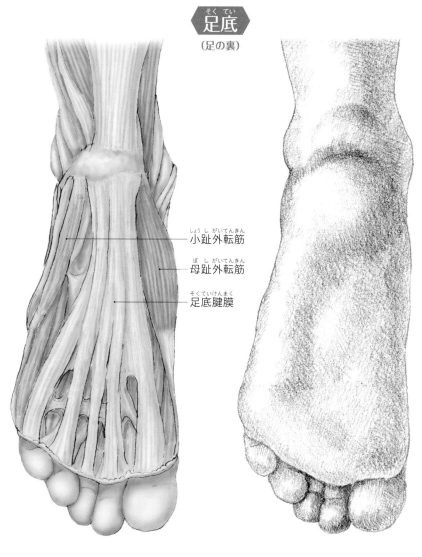

小趾外転筋（しょうしがいてんきん）

母趾外転筋（ぼしがいてんきん）

足底腱膜（そくていけんまく）

分厚い足底腱膜が作る凹み（土ふまず）がはっきりとあらわれています。指の付け根やかかととのコントラストを意識しましょう。

足のアーチ

アーチ（足弓）は、縦方向と横方向にあり、足に弾力性を与えています。
足への衝撃を吸収するクッションとしての役割のほか、歩行や走行の
際の駆動力を生み出す役割も担っています。

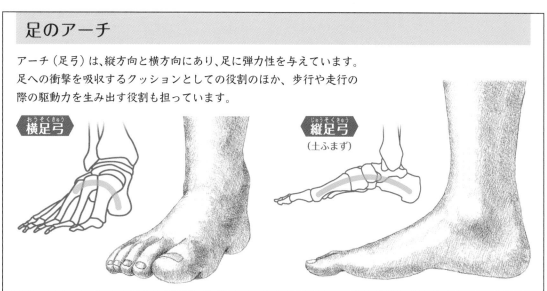

横足弓（おうそくきゅう）

縦足弓（じゅうそくきゅう）

（土ふまず）

下肢のいろいろな動き

下肢の動きのポイントとなるのは、股関節、膝関節、足首の関節です。動きをとらえる際に、まず関節を動かしたときの骨格を頭に入れておくと、バランスよく描くことができるでしょう。

膝を上げる

関節の動きを含めた骨格を確認できたら、これまで見てきた大腿や下腿の筋の働きを振り返ってみます。どの動きのときにどの筋が作用しているのかを意識すると、動きを自然に表現するのに役立ちます。

膝をのばす

膝を後ろへまげる

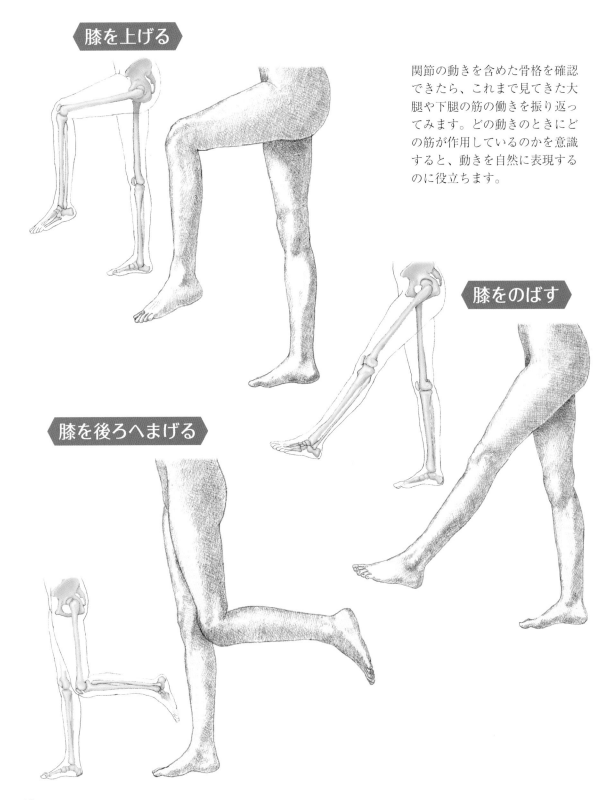

膝をまげる（前面）

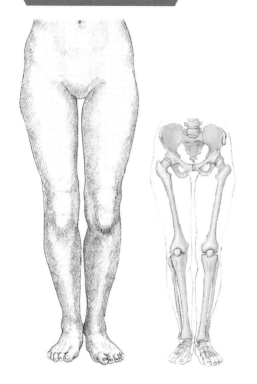

膝をまげる（側面）

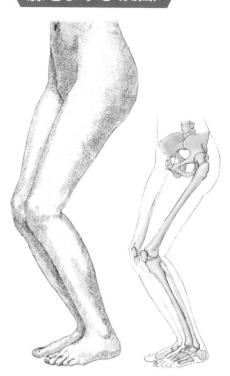

下肢の動き

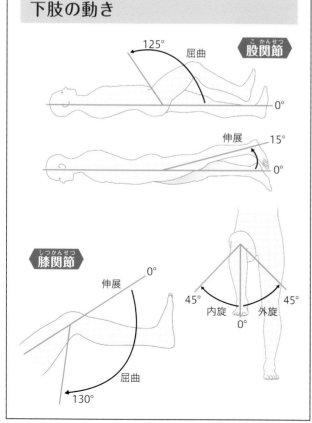

股関節（こかんせつ）

125° 屈曲

0°

伸展 15°

0°

膝関節（しつかんせつ）

伸展 0°

屈曲

130°

45° 45°

内旋 外旋

0°

かかとを上げる

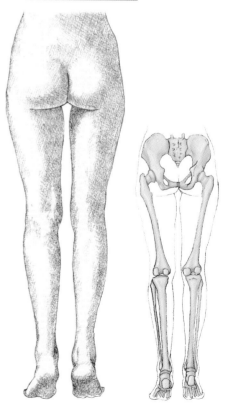

「青銅時代」 オーギュスト・ロダン
──（1）解剖学的視点による骨格の再構成

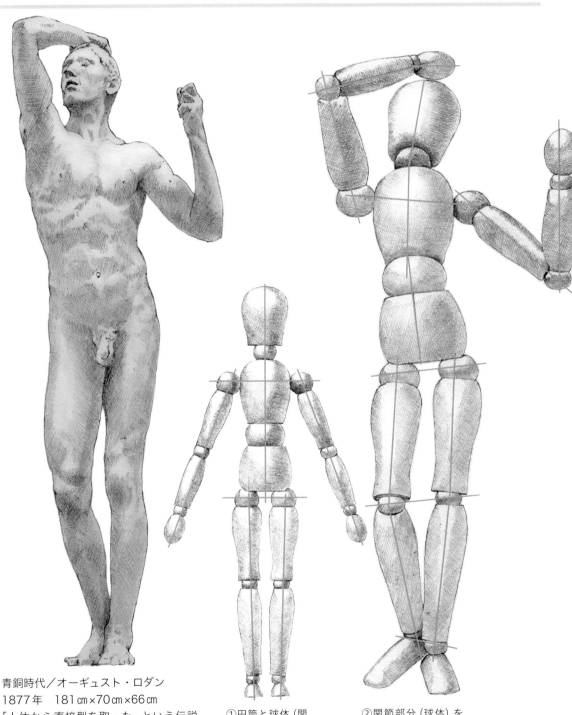

青銅時代／オーギュスト・ロダン
1877年　181㎝×70㎝×66㎝
「人体から直接型を取った」という伝説
があるブロンズ像。プロポーションの理
想化と解剖学的な正確さだけではない、
卓越した造形を持つロダンのデビュー作
です。※人体の力強さを意識した模写。

①円筒と球体（関
節部分）で構成さ
れた人体モデルを
設定します。

②関節部分（球体）を
回転させ、模写のポー
ズを作ってみます。

まず人体を円筒や球体のパーツに分け、それからポーズを作ってみると、骨格がとらえやすくなります（①）。基本の人体モデルでは垂直や水平だったライン（緑）が、動きをつけると傾くことがわかるでしょう（②）。その傾きを意識して、脊柱のカーブ、胸郭や骨盤のひねりを確認し、四肢の関節とともに位置を決めたら、輪郭線を人体の形に整えます（③）。③で設定した骨格を意識しながら骨を描き入れてみると、自然な骨格になります（④）。

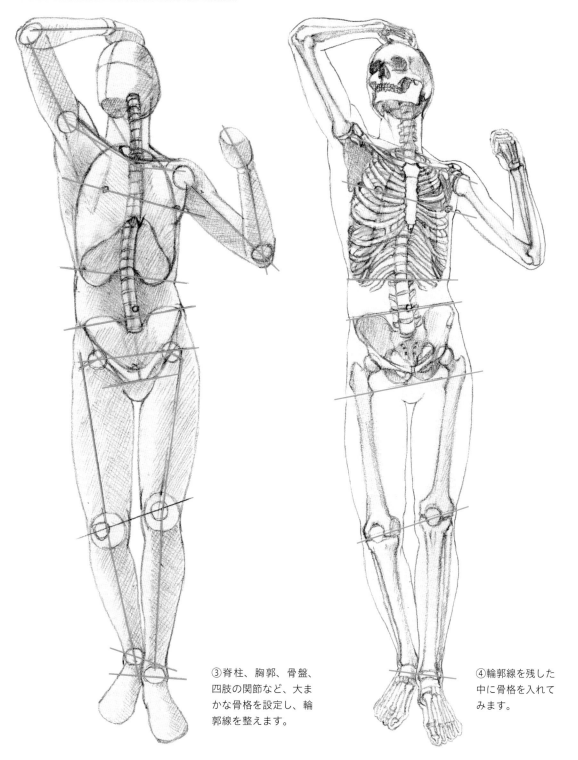

③脊柱、胸郭、骨盤、四肢の関節など、大まかな骨格を設定し、輪郭線を整えます。

④輪郭線を残した中に骨格を入れてみます。

「青銅時代」オーギュスト・ロダン —— (2)解剖学的視点による筋と体表の再現

「作品」というものは、「実際の人体」とは違っているのがふつうです。多かれ少なかれ、作者によるデフォ
ルメ(変形)がなされているからです。どういったデフォルメが効果的なのかを考える土台として、実際の
人体に近いもの、つまり「解剖学的視点からとらえた人体」を知っておくことは重要といえるでしょう。

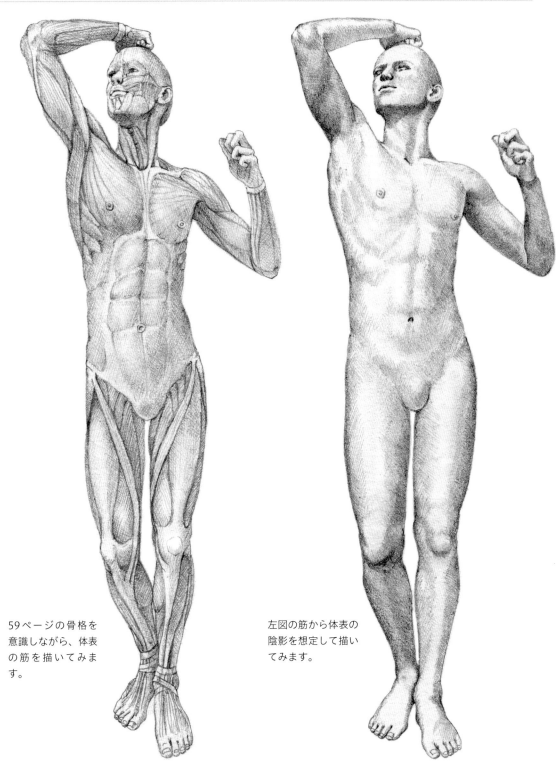

59ページの骨格を
意識しながら、体表
の筋を描いてみま
す。

左図の筋から体表の
陰影を想定して描い
てみます。

このイラストは、60ページのイラストから描き起こしたものです。「解剖学的視点を持つ」ことが
できれば、たとえば前から見た人体の資料しかないとしても、「基礎編」の知識などを使うことに
よって、後ろから見た人体を描くこともできます。

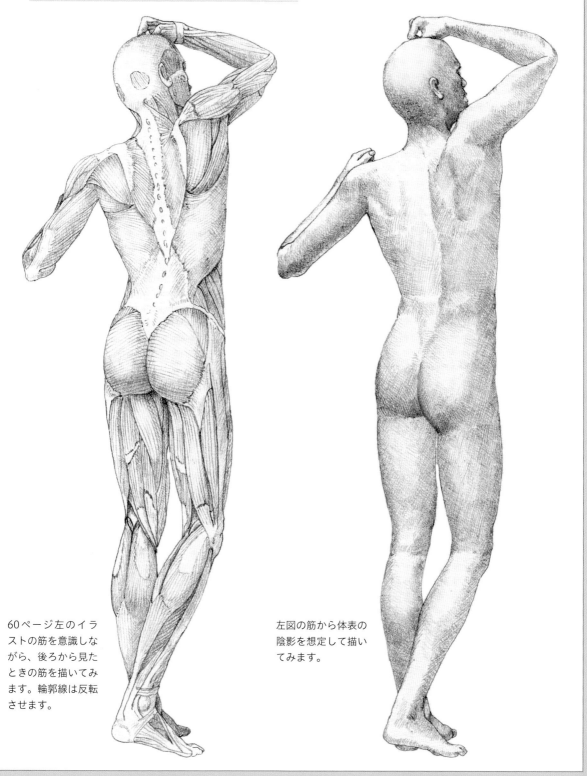

60ページ左のイラス
トの筋を意識しな
がら、後ろから見た
ときの筋を描いてみ
ます。輪郭線は反転
させます。

左図の筋から体表の
陰影を想定して描い
てみます。

実践編

第3章
人体のさまざまな動きを描く

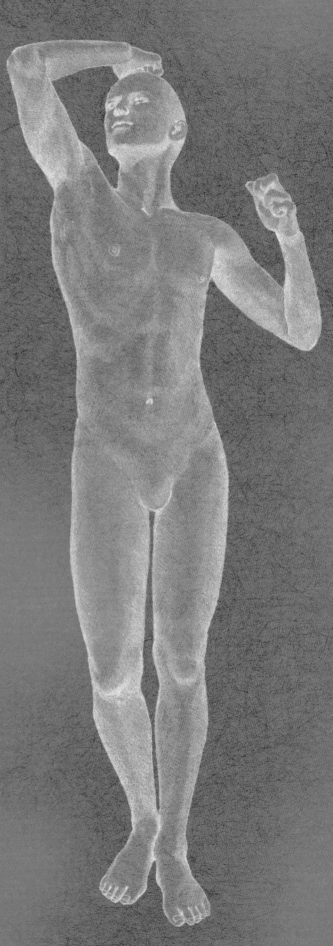

基礎編を踏まえて、実際に動きを描く
ための実践編。動きの小さいポーズか
ら動きの大きいポーズまで、リアルに
描くコツがわかる。骨と筋のイラスト
つきで、人体の構造も確認できる。

動きの小さいポーズ

立つ

左脚に体重をかけているので、腰（骨盤）の左側が上がり、左の肩は少し下がっています。

HOW TO...

①頭を基準として全身の比率を決めます。この図では6.5頭身に設定（日本人の場合、6〜7頭身が自然に見えます）。中央付近に腰（骨盤）を置きます。

②肩幅とからだの中心線を決め、それにしたがって関節の位置を決めます。

③関節と関節を、筋のふくらみを考えながら線でつなぎます。

①

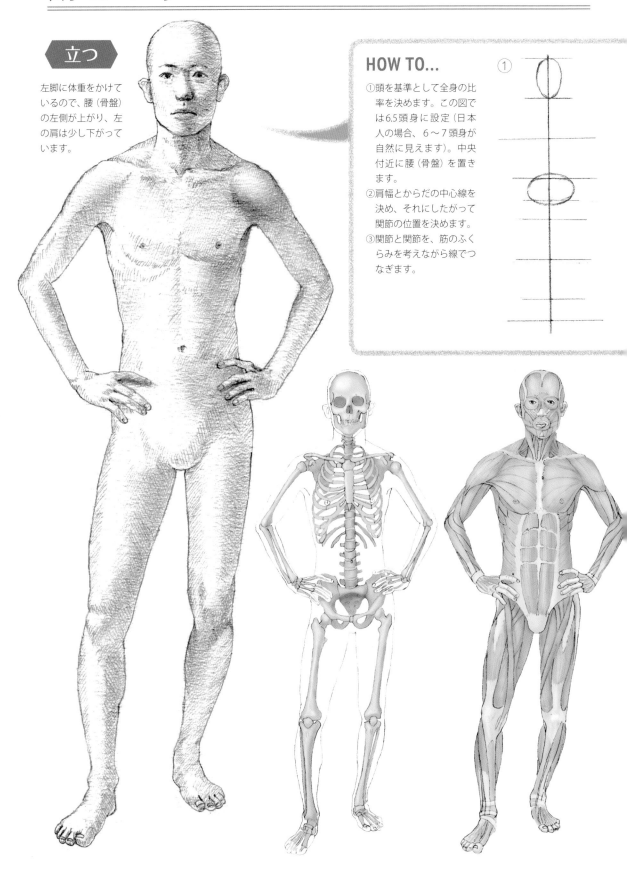

② ③

台についた右手に体重を
かけたときも、腰の左側
が上がります。

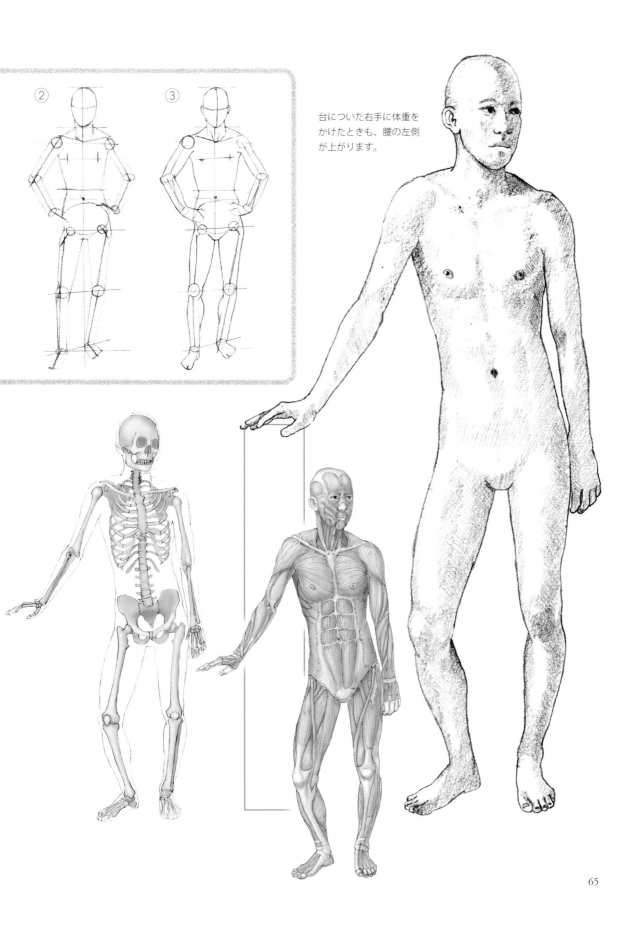

動きの小さいポーズ

歩く

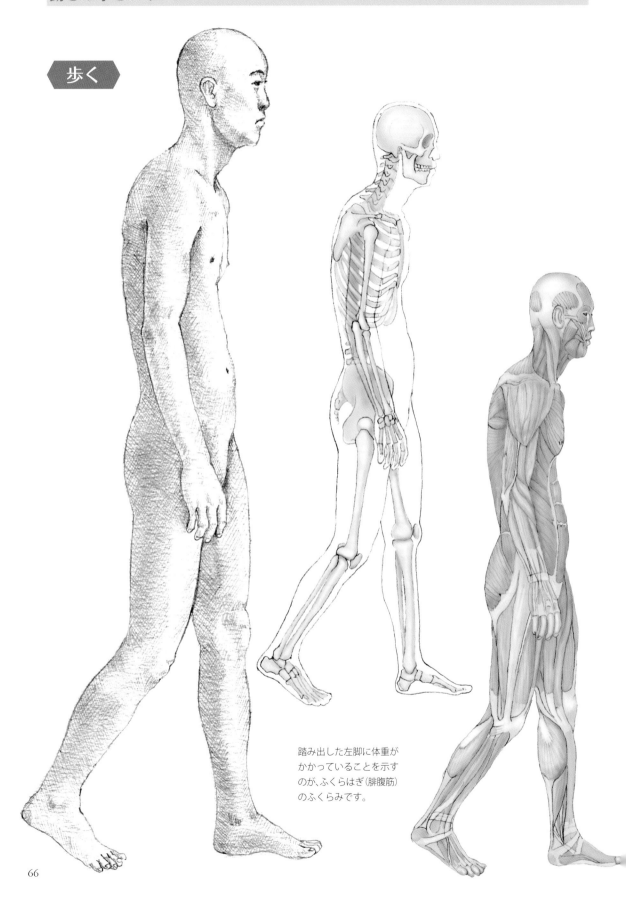

踏み出した左脚に体重が
かかっていることを示す
のが、ふくらはぎ（腓腹筋）
のふくらみです。

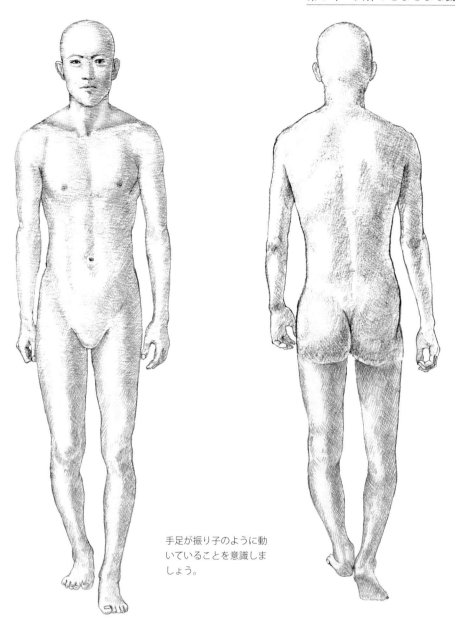

手足が振り子のように動いていることを意識しましょう。

動きを見る

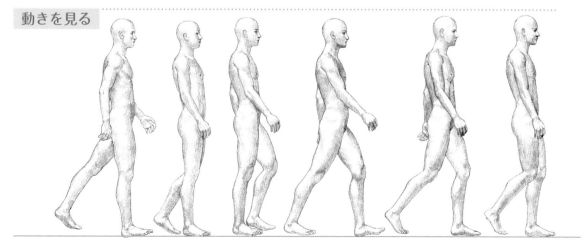

階段を上る

左脚に力が入り、太もも前面（大腿直筋や内側広筋）のふくらみがくっきりとした陰影を作っています。

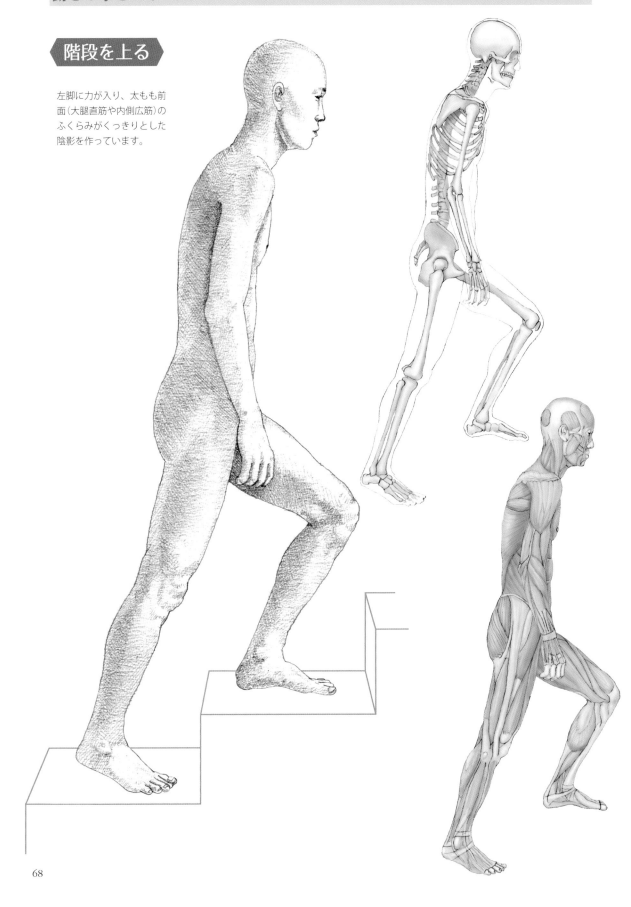

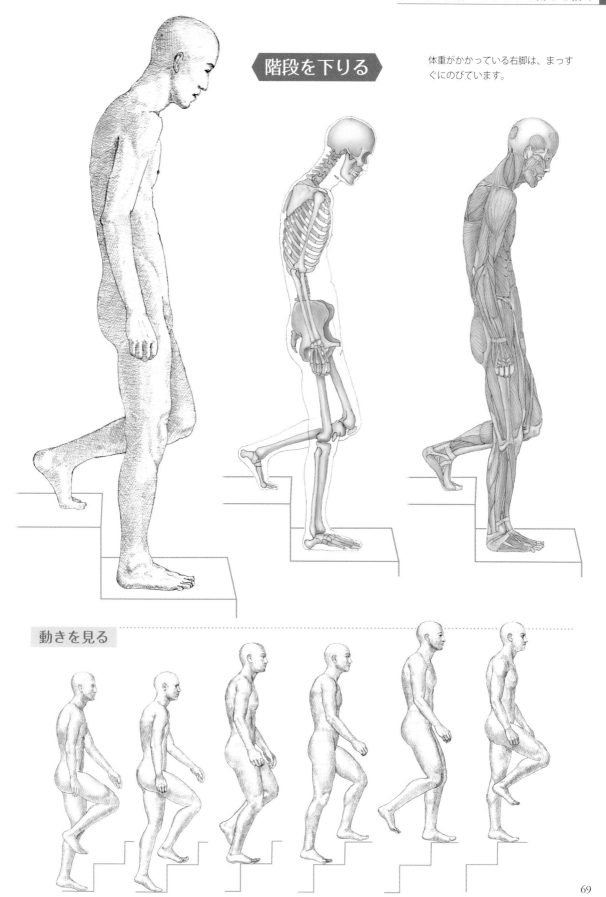

階段を下りる

体重がかかっている右脚は、まっすぐにのびています。

動きを見る

動きの小さいポーズ

座る1

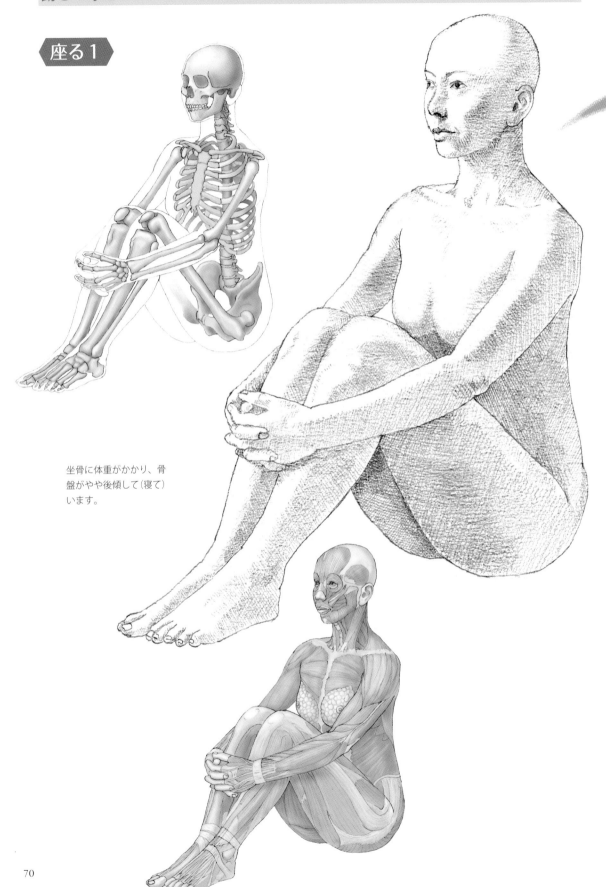

坐骨に体重がかかり、骨
盤がやや後傾して（寝て）
います。

①人物の左斜めからの視点を意識してポーズを決めます。腰（骨盤）が上体を支えています。
②関節と関節を直線でつなぎます。上体の重さを受けている骨盤は、後傾してかご状の形態に
　なっていることを意識しましょう。脊柱はゆるくカーブしています。
③関節をつなぐ輪郭線に、筋を意識してふくらみを持たせます。女性の場合は、よりふくよか
　な表現になります。乳房の位置も描き加えます。

①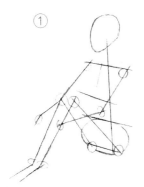

②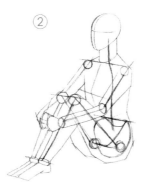

③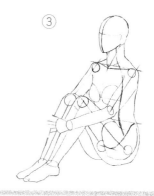

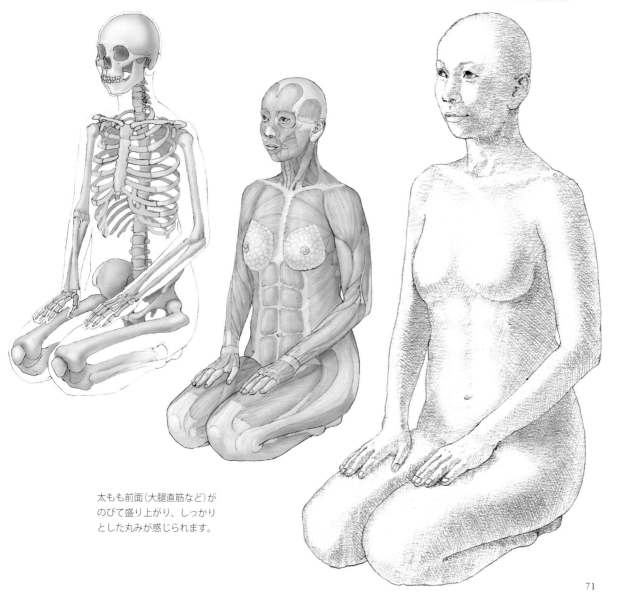

太もも前面（大腿直筋など）が
のびて盛り上がり、しっかり
とした丸みが感じられます。

動きの小さいポーズ

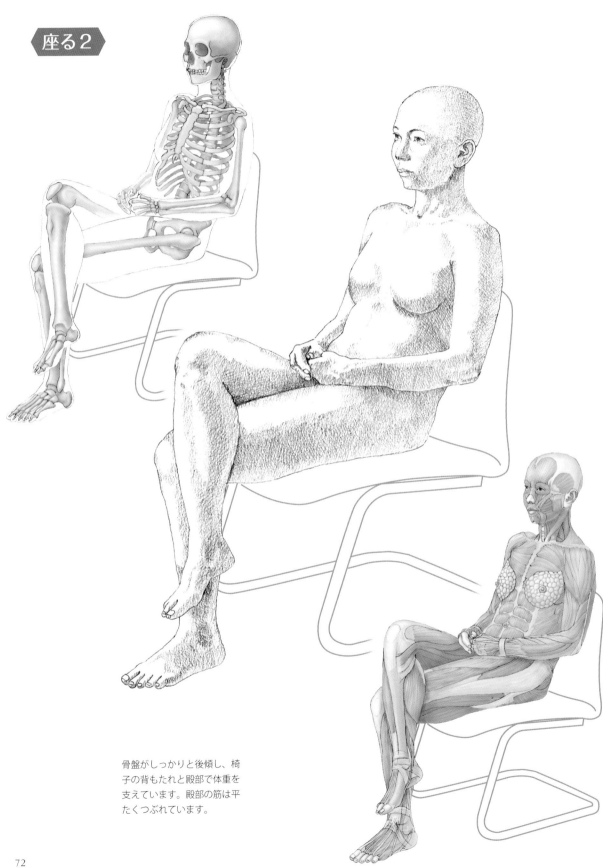

座る2

骨盤がしっかりと後傾し、椅子の背もたれと殿部で体重を支えています。殿部の筋は平たくつぶれています。

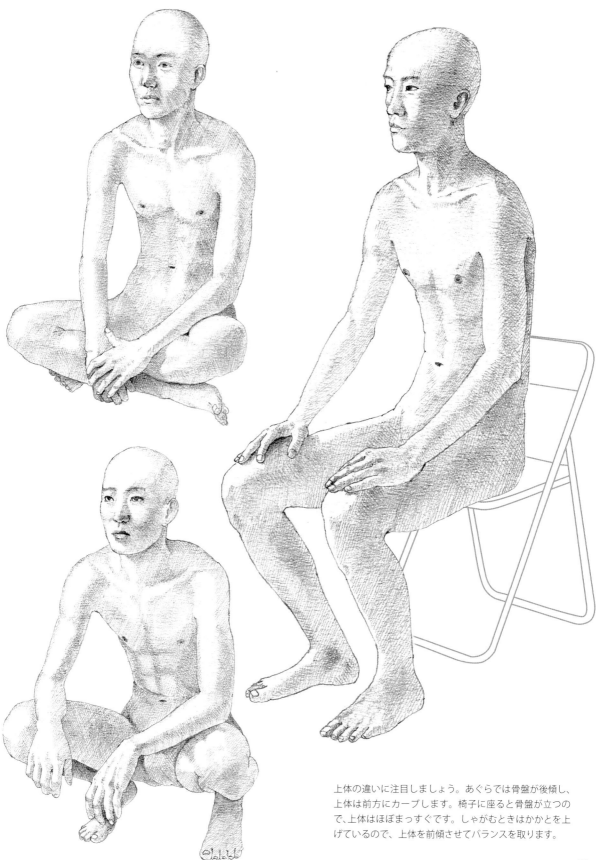

上体の違いに注目しましょう。あぐらでは骨盤が後傾し、上体は前方にカーブします。椅子に座ると骨盤が立つので、上体はほぼまっすぐです。しゃがむときはかかとを上げているので、上体を前傾させてバランスを取ります。

動きの小さいポーズ

寝る

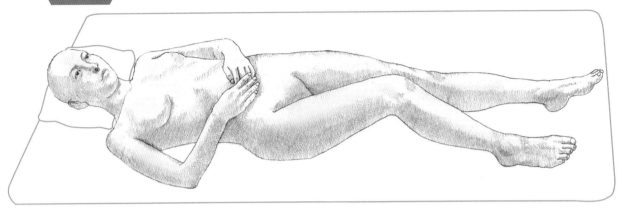

からだの力が抜けているので、大胸筋がのび、肩甲骨の位置はやや上がっています。

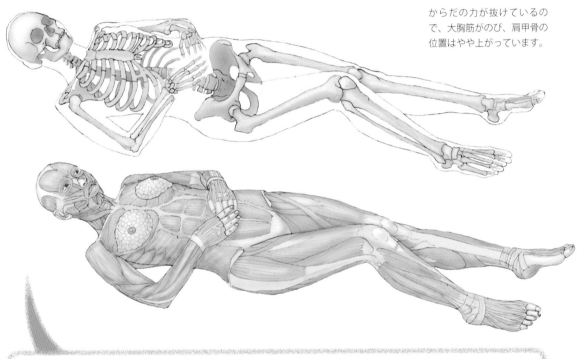

HOW TO...

①肩や腰など、重心が数ヵ所に分散されていることに注意してポーズを決めます。

②関節と関節を直線でつなぎ、手足を入れます。

③脊柱のカーブ、筋の柔らかさを意識しながら輪郭線を調整します。女性の場合は乳房を入れます。

①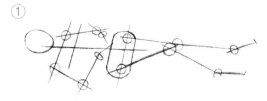

②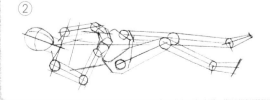

③

74ページのポーズを横から見
たものです。

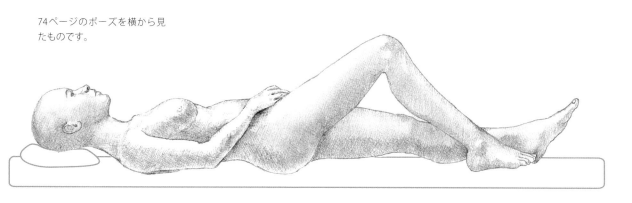

うつ伏せになると、僧帽筋や広
背筋のふくらみがわかります。

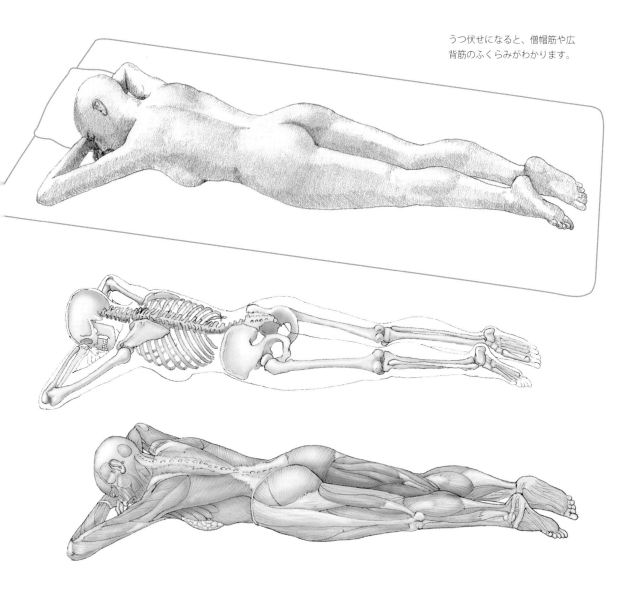

動きの小さいポーズ

食べる1

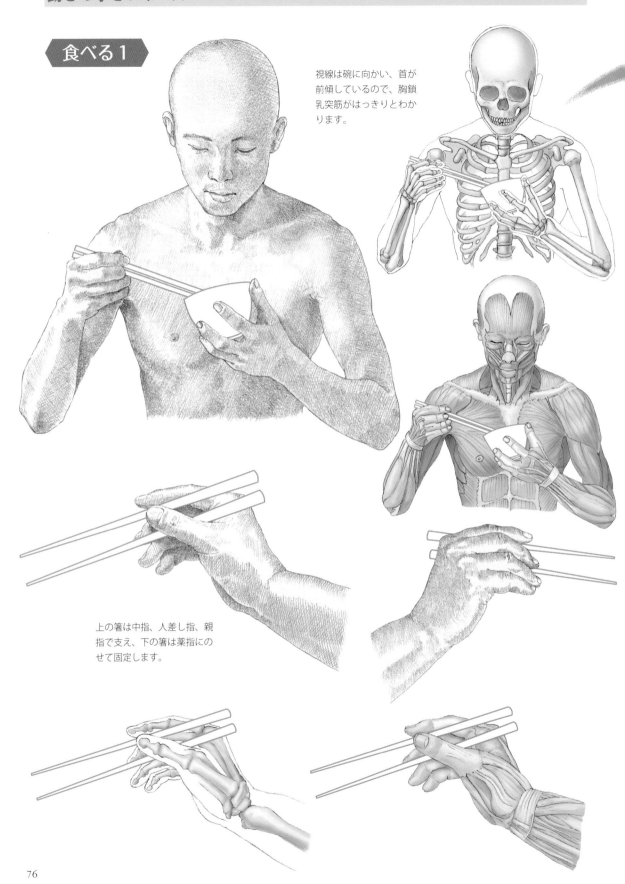

視線は碗に向かい、首が前傾しているので、胸鎖乳突筋がはっきりとわかります。

上の箸は中指、人差し指、親指で支え、下の箸は薬指にのせて固定します。

HOW TO...

①上半身のイラストですが、全身を描く意識で比率を決めるのが、バランスを崩さないコツです。道具を持つので、手首の位置を楕円で入れ、筆と碗もだいたいの位置を決めます。
②関節と関節を直線でつなぎ、手の甲の形状をイメージして指の開きの範囲を決めます。
③耳を描くことで頭の前傾が示されます。関節をつなぐ線にふくらみを持たせます。

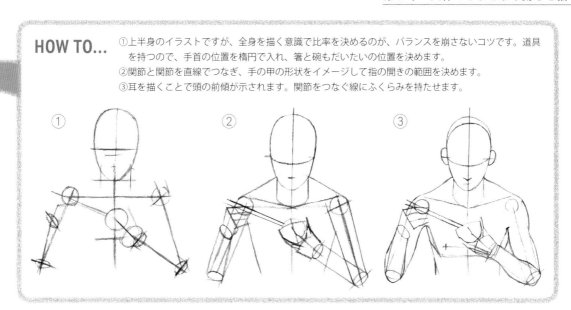

① ② ③

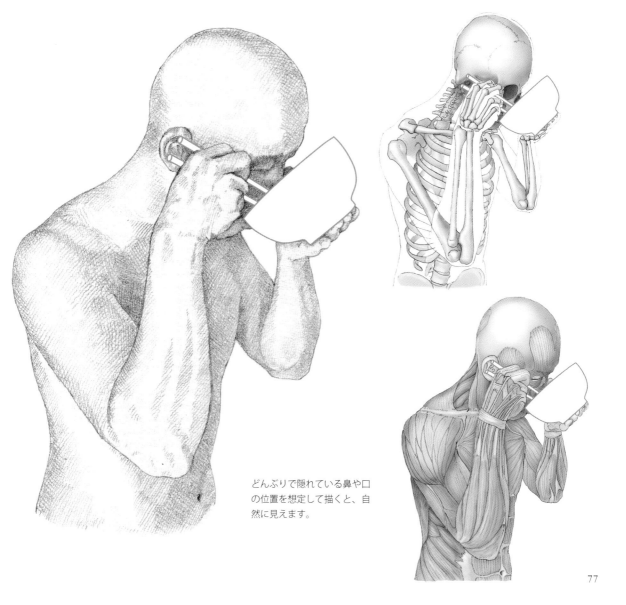

どんぶりで隠れている鼻や口の位置を想定して描くと、自然に見えます。

動きの小さいポーズ

食べる2 　手首の角度を意識し、指先
の力の入り具合をよく観察
することが大切です。

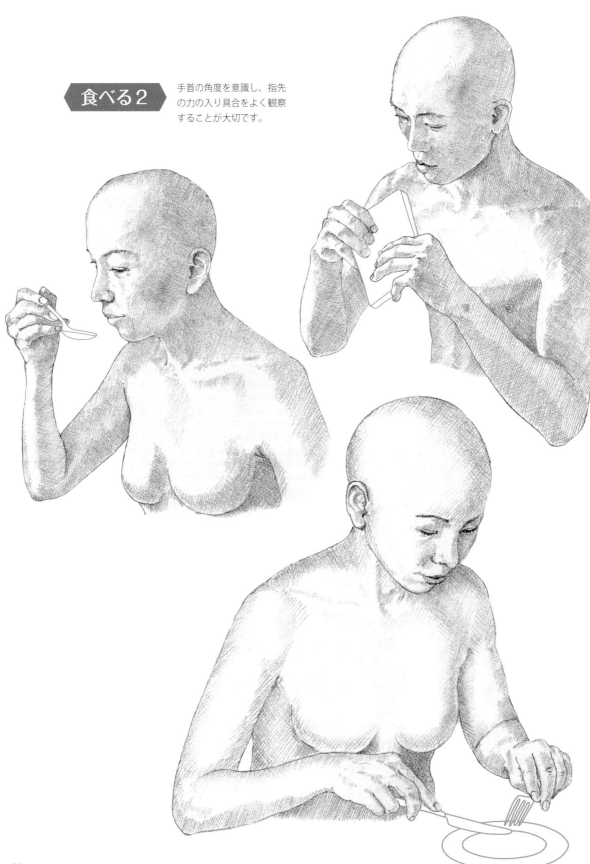

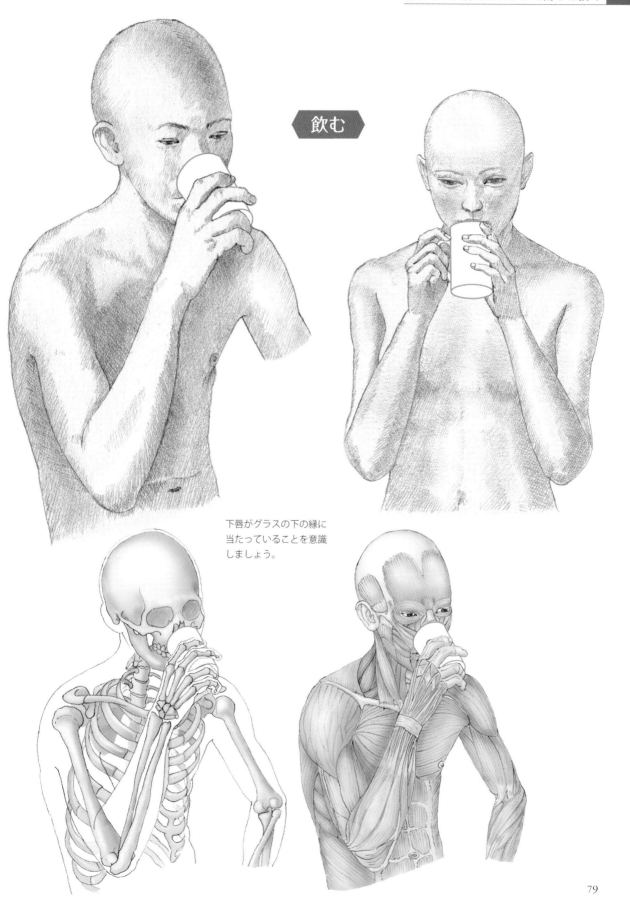

飲む

下唇がグラスの下の縁に
当たっていることを意識
しましょう。

スマホを使う

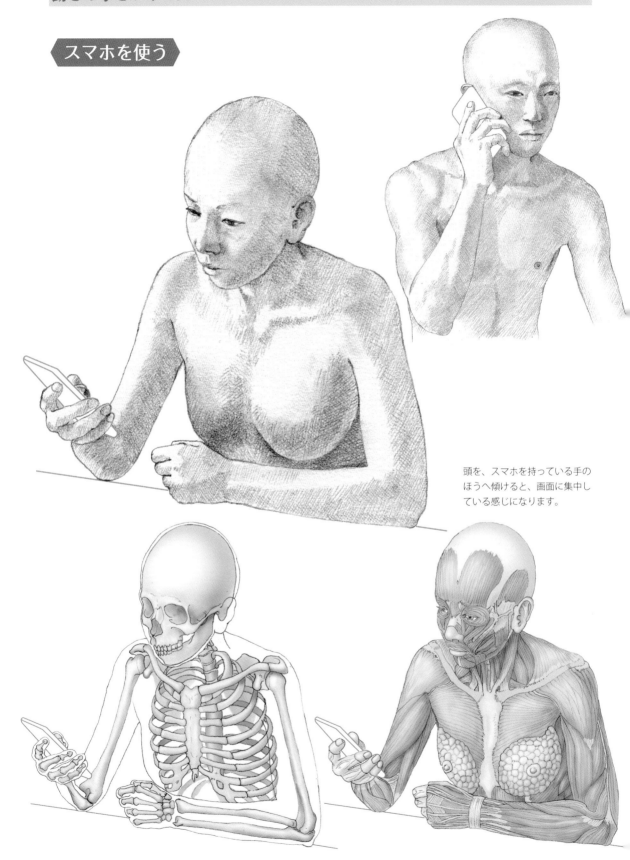

頭を、スマホを持っている手の
ほうへ傾けると、画面に集中し
ている感じになります。

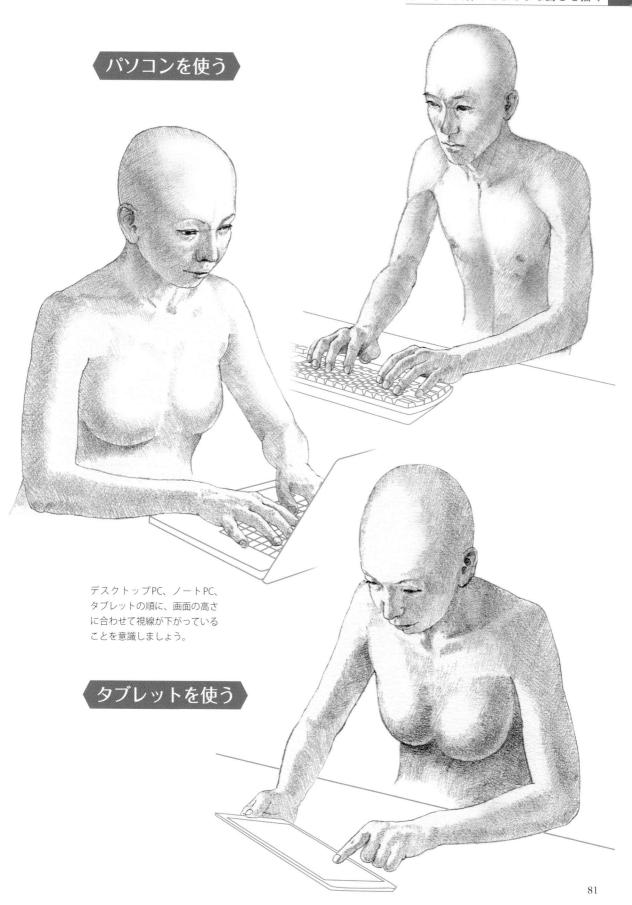

パソコンを使う

デスクトップPC、ノートPC、タブレットの順に、画面の高さに合わせて視線が下がっていることを意識しましょう。

タブレットを使う

動きの小さいポーズ

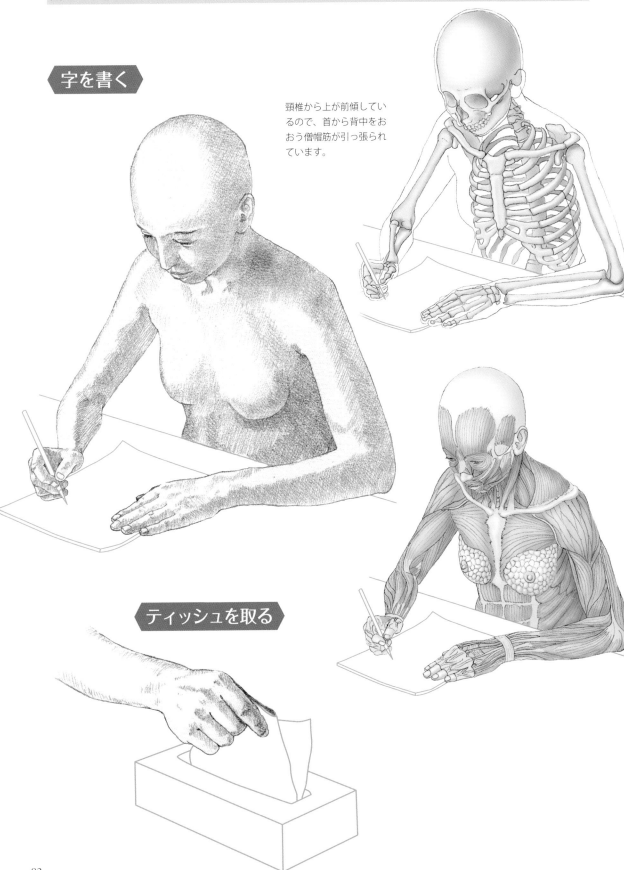

字を書く

頸椎から上が前傾してい
るので、首から背中をお
おう僧帽筋が引っ張られ
ています。

ティッシュを取る

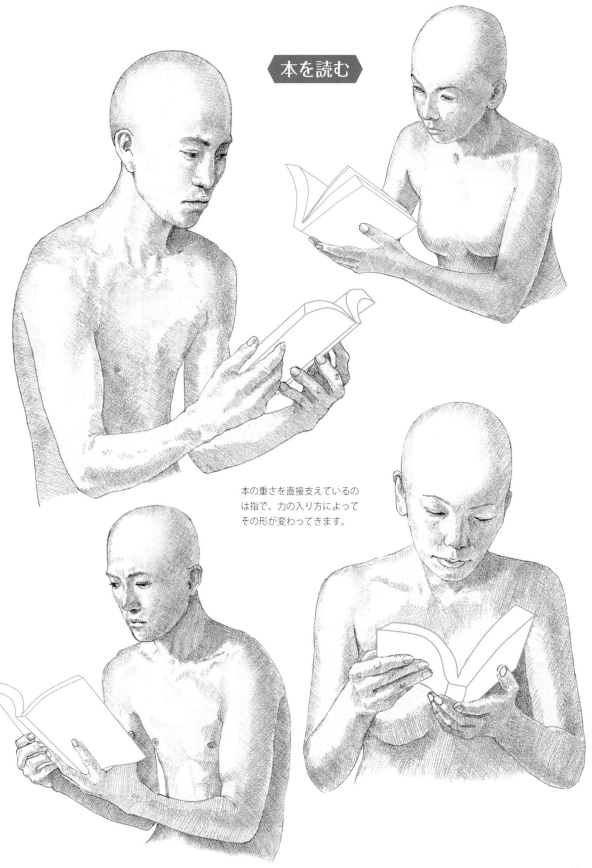

本を読む

本の重さを直接支えているの
は指で、力の入り方によって
その形が変わってきます。

動きの小さいポーズ

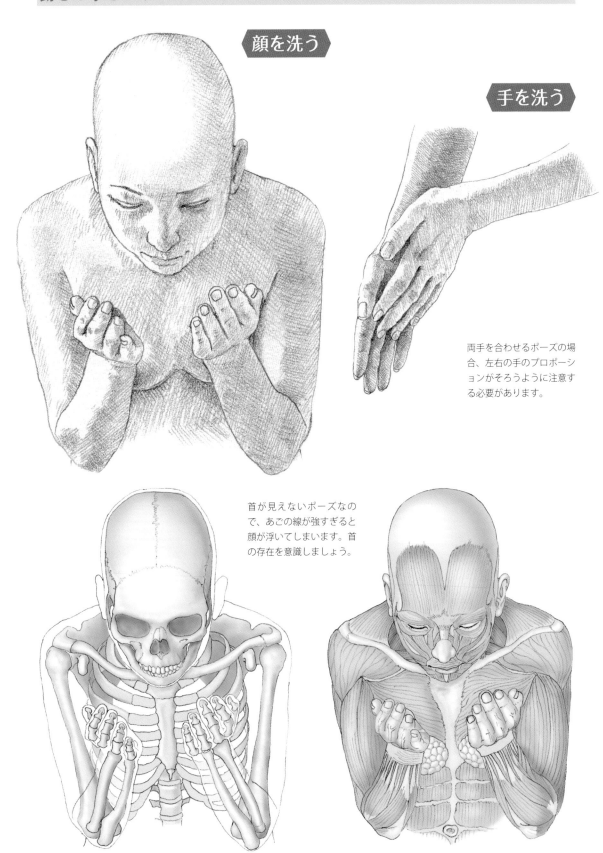

顔を洗う

手を洗う

両手を合わせるポーズの場合、左右の手のプロポーションがそろうように注意する必要があります。

首が見えないポーズなので、あごの線が強すぎると顔が浮いてしまいます。首の存在を意識しましょう。

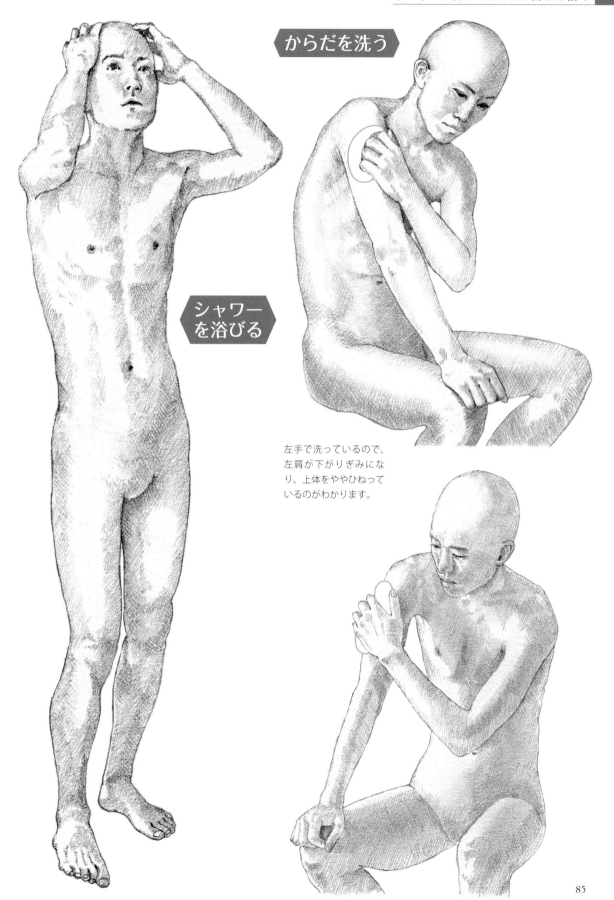

からだを洗う

シャワー
を浴びる

左手で洗っているので、
左肩が下がりぎみにな
り、上体をややひねって
いるのがわかります。

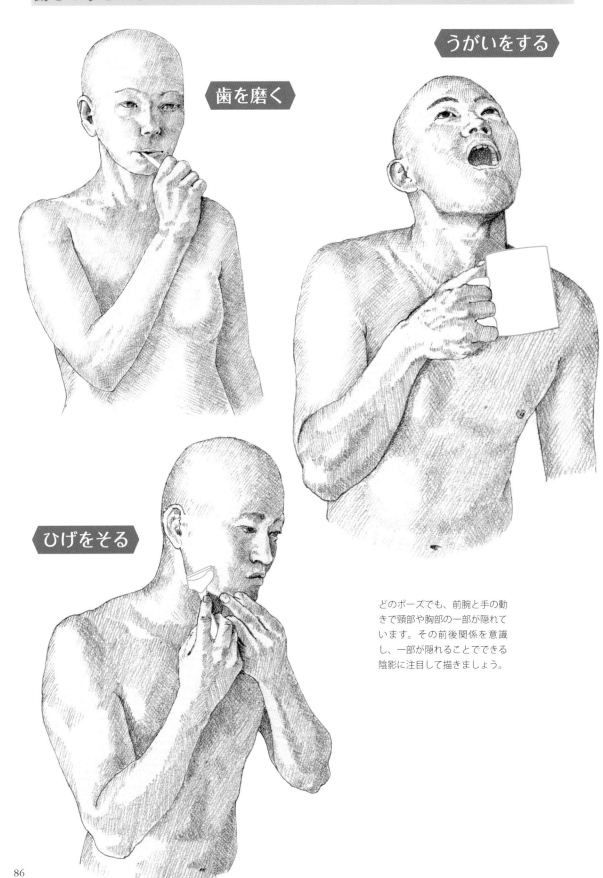

うがいをする

歯を磨く

ひげをそる

どのポーズでも、前腕と手の動きで頸部や胸部の一部が隠れています。その前後関係を意識し、一部が隠れることでできる陰影に注目して描きましょう。

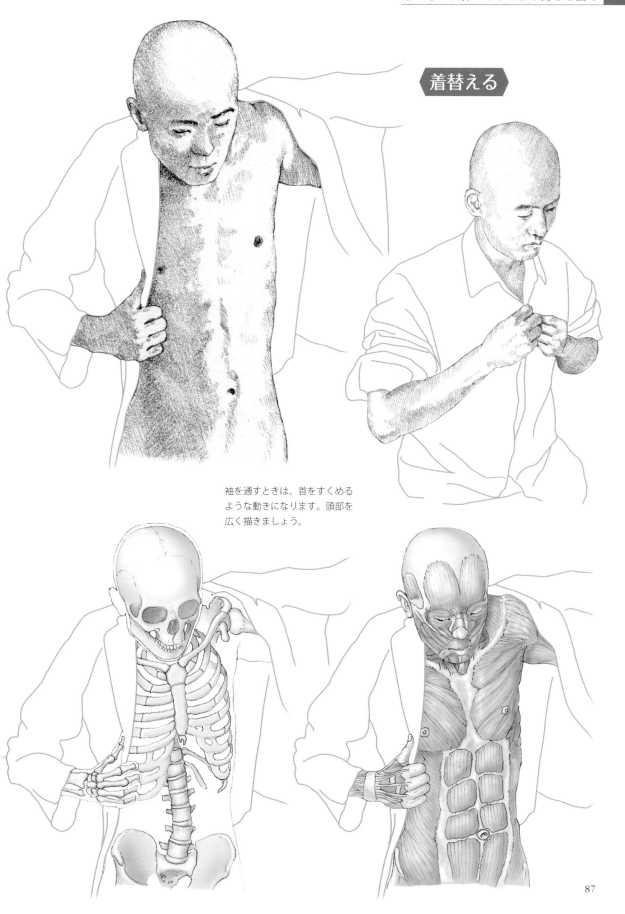

着替える

袖を通すときは、首をすくめる
ような動きになります。頭部を
広く描きましょう。

動きの小さいポーズ

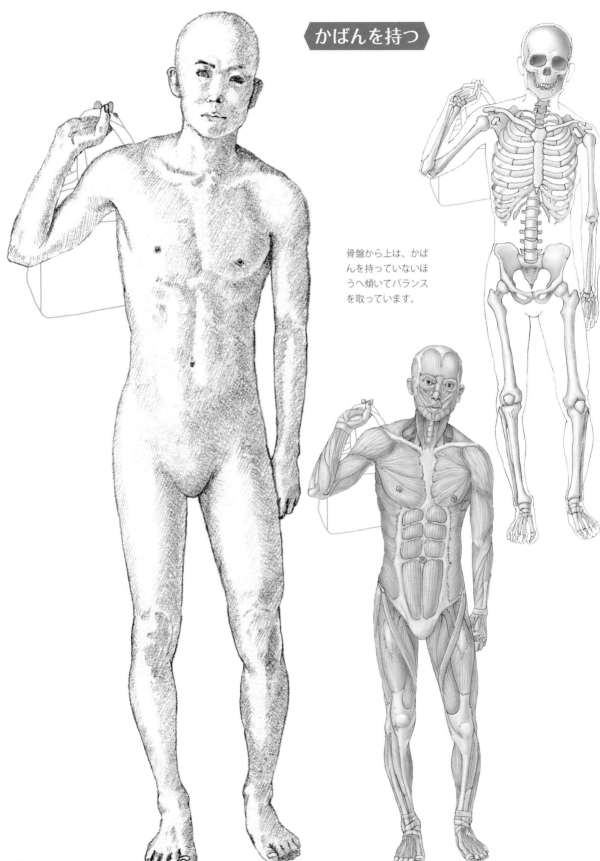

かばんを持つ

骨盤から上は、かばんを持っていないほうへ傾いてバランスを取っています。

靴をはく

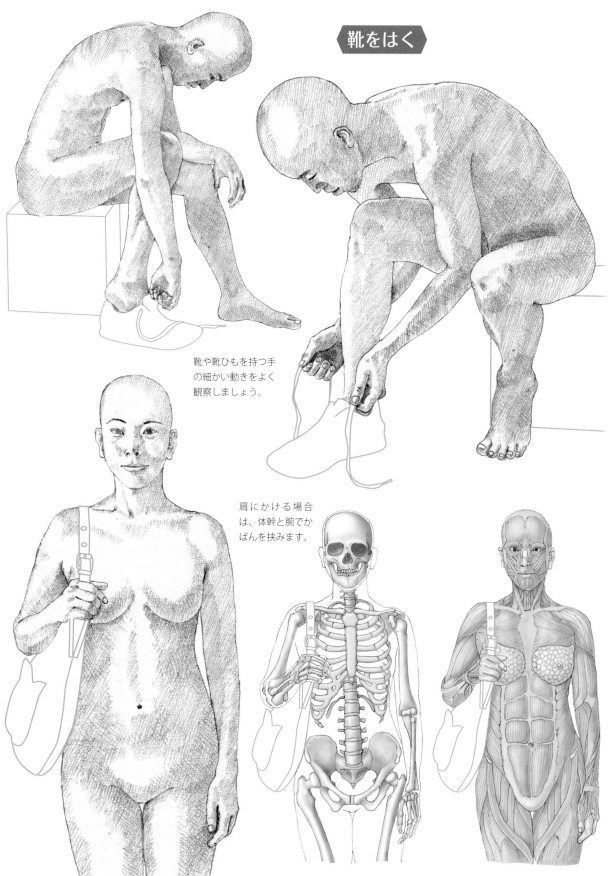

靴や靴ひもを持つ手
の細かい動きをよく
観察しましょう。

肩にかける場合
は、体幹と腕でか
ばんを挟みます。

動きの小さいポーズ

料理をする

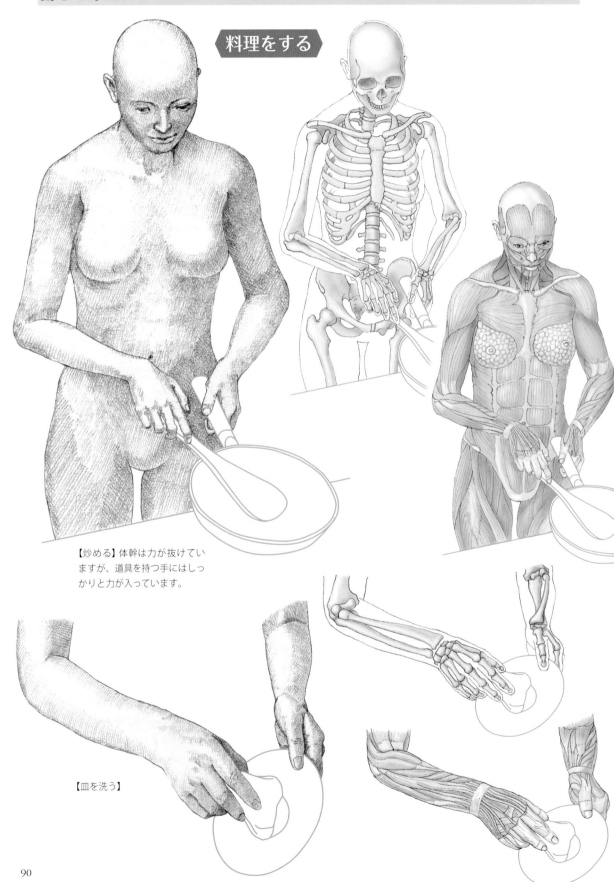

【炒める】体幹は力が抜けていますが、道具を持つ手にはしっかりと力が入っています。

【皿を洗う】

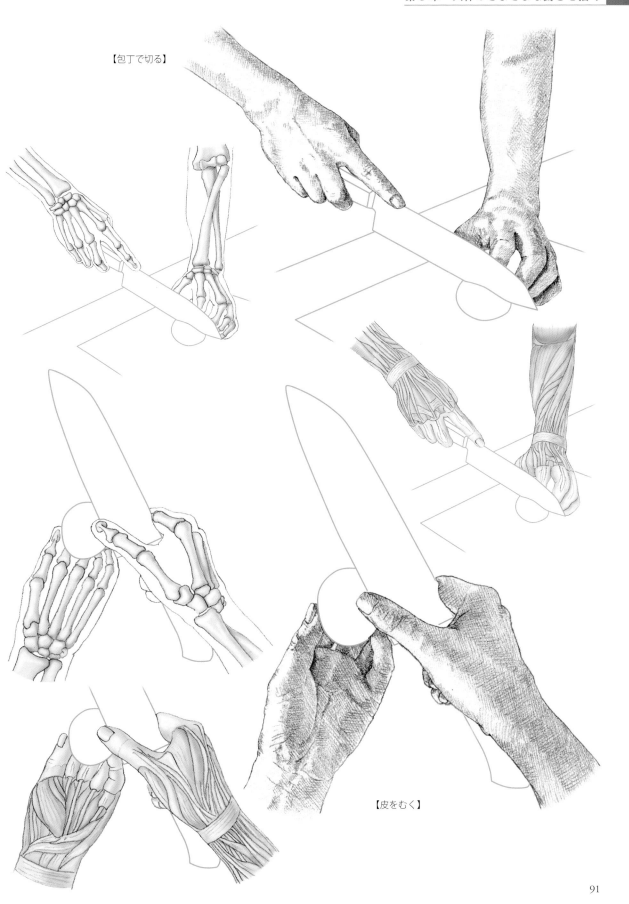

【包丁で切る】

【皮をむく】

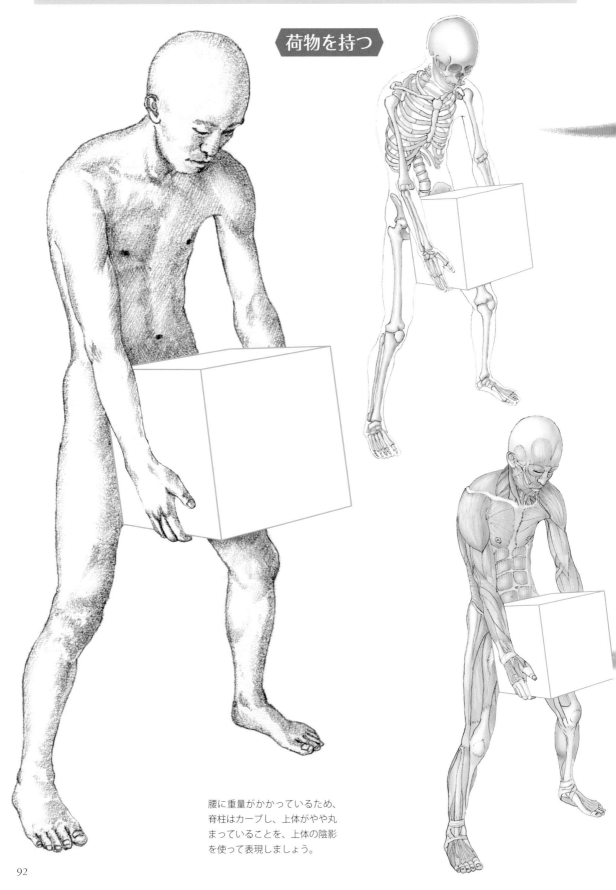

荷物を持つ

腰に重量がかかっているため、
脊柱はカーブし、上体がやや丸
まっていることを、上体の陰影
を使って表現しましょう。

HOW TO...

①両脚を開いて膝をまげ、大腿部を傾
　斜させることを意識して関節の位置
　を決めます。

②関節と関節を直線でつなぎます。骨
　盤を傾けてかご状にすると、腰に負
　荷を受けている感じが出ます。頭の
　前傾を示す補助線を入れます。

③上体と肩・腕で荷物を吊り下げ、大
　腿部と腰に負荷がかかっていること
　を意識して、線にふくらみを持たせ
　ます。脊柱をカーブさせ、腰への負
　荷を表します。

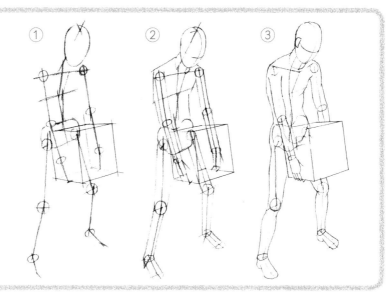

中腰の場合は、荷物の重量
が腰だけでなく、手と肩に
分散しています。

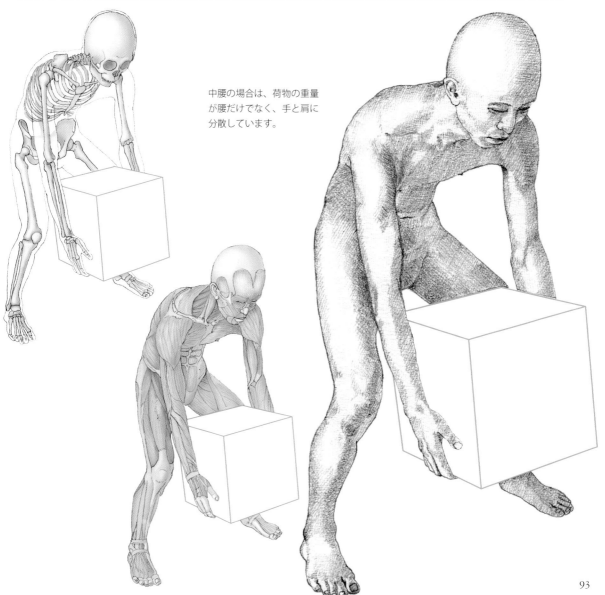

動きの小さいポーズ

抱っこ

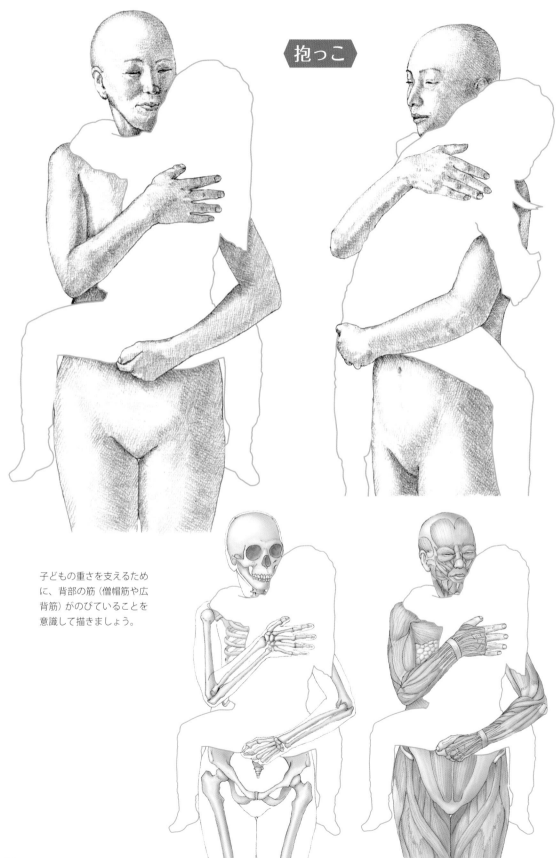

子どもの重さを支えるために、背部の筋（僧帽筋や広背筋）がのびていることを意識して描きましょう。

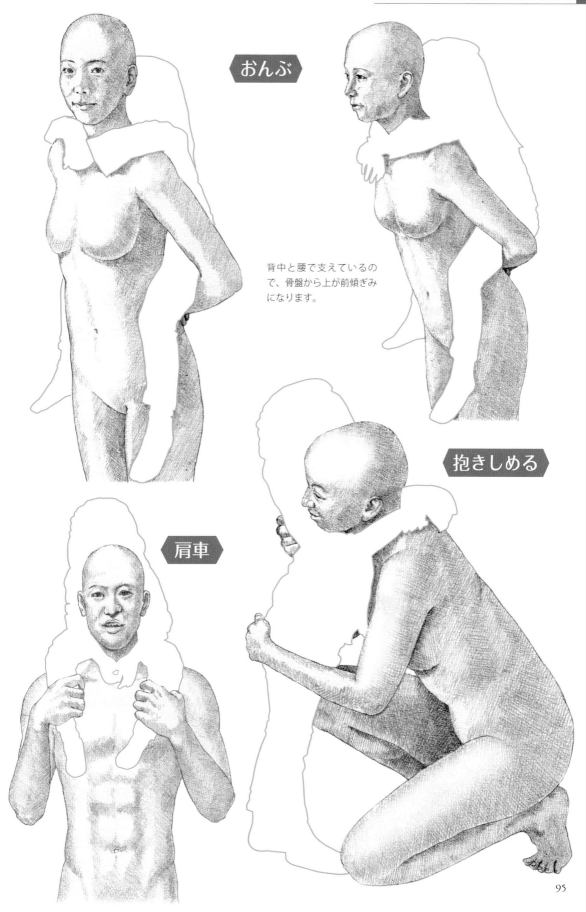

おんぶ

背中と腰で支えているの
で、骨盤から上が前傾ぎみ
になります。

抱きしめる

肩車

動きの小さいポーズ

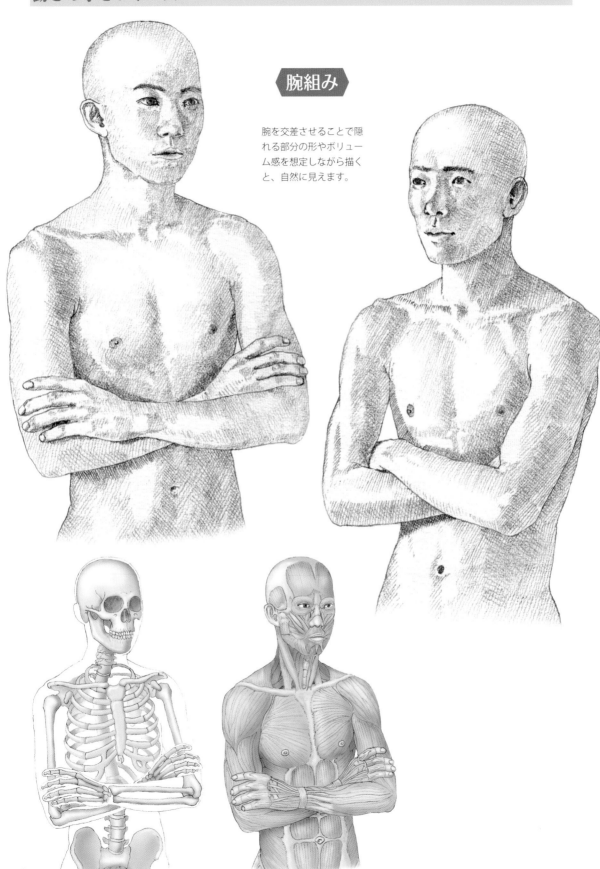

腕組み

腕を交差させることで隠れる部分の形やボリューム感を想定しながら描くと、自然に見えます。

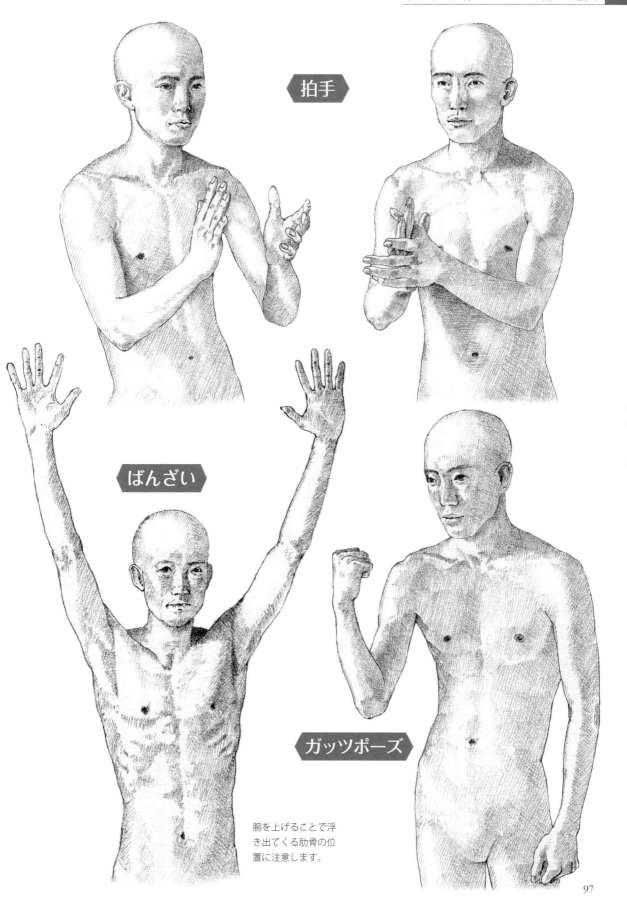

拍手

ばんざい

ガッツポーズ

腕を上げることで浮
き出てくる肋骨の位
置に注意します。

動きの小さいポーズ

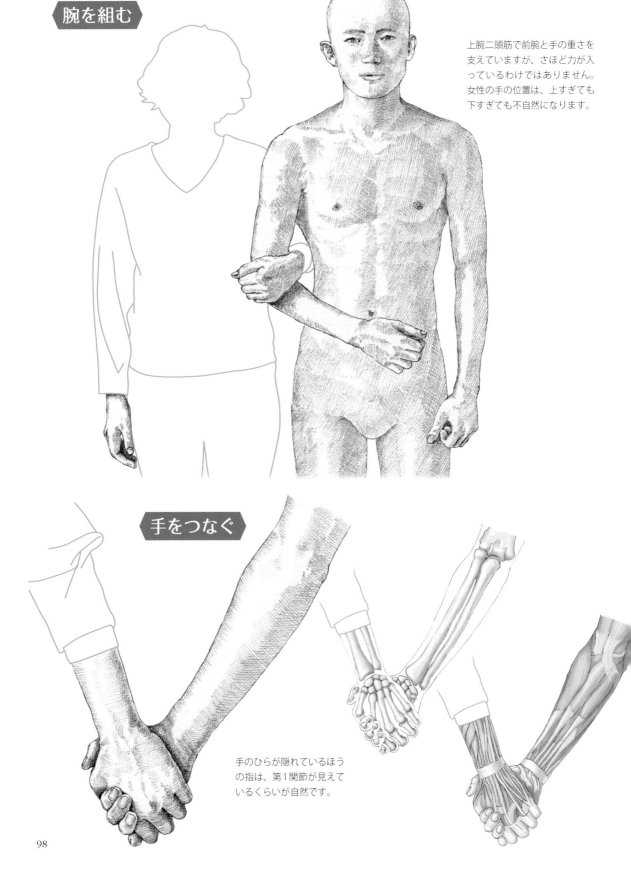

腕を組む

上腕二頭筋で前腕と手の重さを支えていますが、さほど力が入っているわけではありません。女性の手の位置は、上すぎても下すぎても不自然になります。

手をつなぐ

手のひらが隠れているほうの指は、第1関節が見えているくらいが自然です。

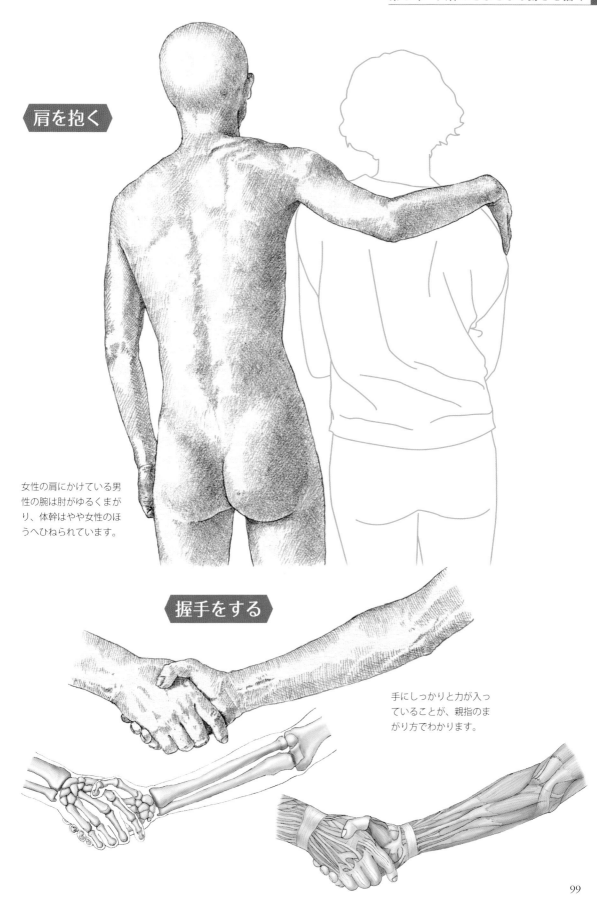

肩を抱く

女性の肩にかけている男性の腕は肘がゆるくまがり、体幹はやや女性のほうへひねられています。

握手をする

手にしっかりと力が入っていることが、親指のまがり方でわかります。

動きの小さいポーズ

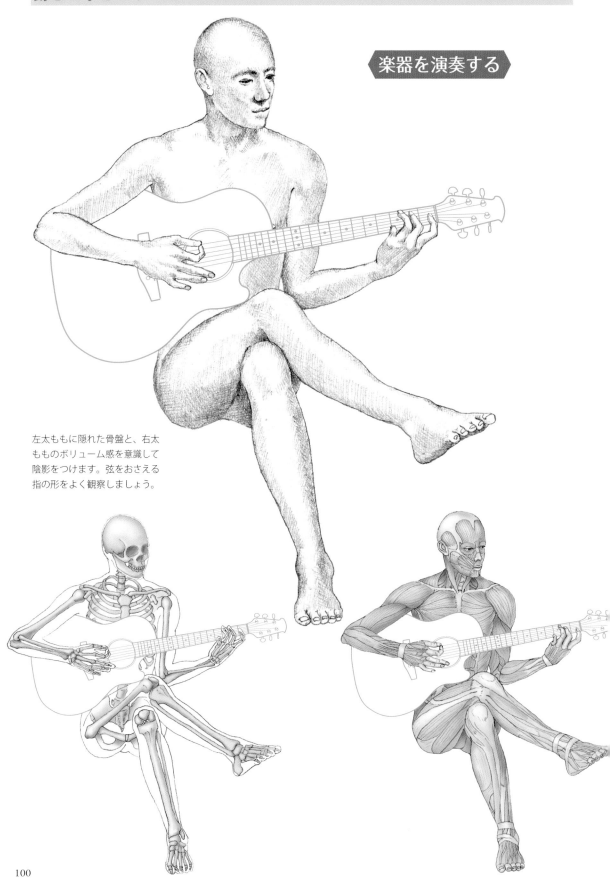

楽器を演奏する

左太ももに隠れた骨盤と、右太
もものボリューム感を意識して
陰影をつけます。弦をおさえる
指の形をよく観察しましょう。

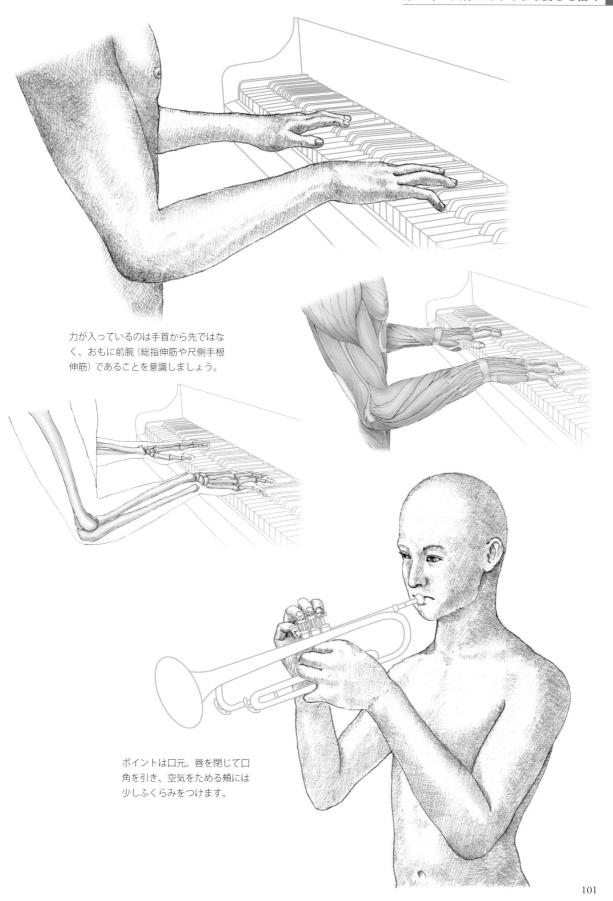

力が入っているのは手首から先ではな
く、おもに前腕（総指伸筋や尺側手根
伸筋）であることを意識しましょう。

ポイントは口元。唇を閉じて口
角を引き、空気をためる頬には
少しふくらみをつけます。

101

「泉」ドミニク・アングル —— 人体にあらわれる曲線

泉／ドミニク・アングル
1820〜1856年　163㎝×80㎝
フランス新古典主義の傑作。モデルは16歳
の女性であったといいます。
※からだのラインを強調、抽出した模写。

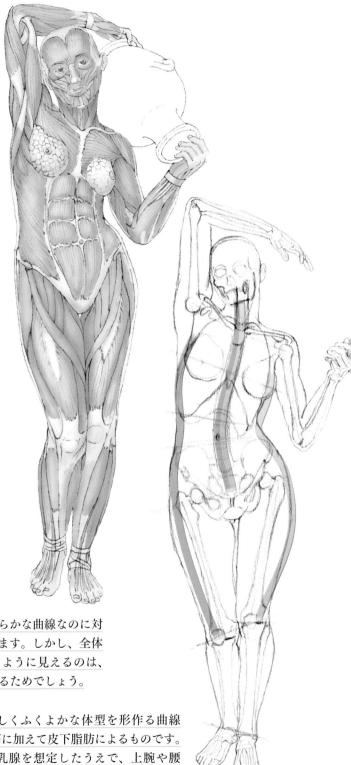

輪郭線は、向かって左はなだらかな曲線なのに対
し、右は彎曲が強くなっています。しかし、全体
としてバランスが取れているように見えるのは、
曲線が脊柱の彎曲に沿っているためでしょう。

若々しくふくよかな体型を形作る曲線
は、筋に加えて皮下脂肪によるものです。
筋と乳腺を想定したうえで、上腕や腰
部、殿部に薄い皮下脂肪を加えました。

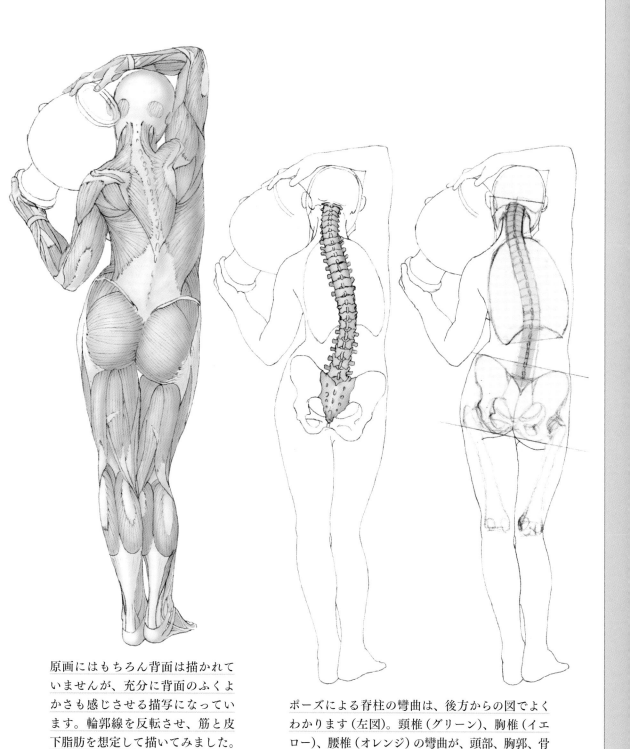

原画にはもちろん背面は描かれて
いませんが、充分に背面のふくよ
かさも感じさせる描写になってい
ます。輪郭線を反転させ、筋と皮
下脂肪を想定して描いてみました。

ポーズによる脊柱の彎曲は、後方からの図でよく
わかります（左図）。頸椎（グリーン）、胸椎（イエ
ロー）、腰椎（オレンジ）の彎曲が、頭部、胸郭、骨
盤の傾きに対応しています（右図）。

動きの大きいポーズ

走る

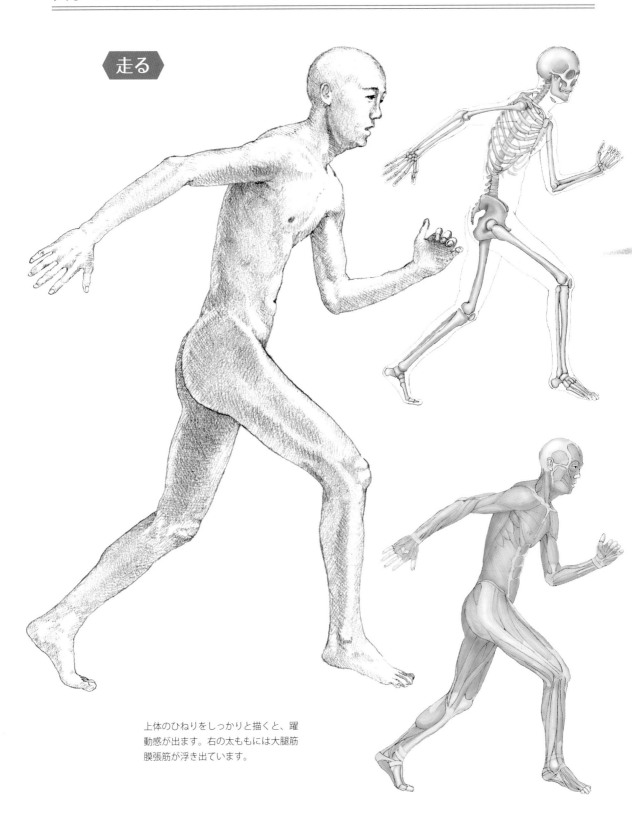

上体のひねりをしっかりと描くと、躍
動感が出ます。右の太ももには大腿筋
膜張筋が浮き出ています。

HOW TO...

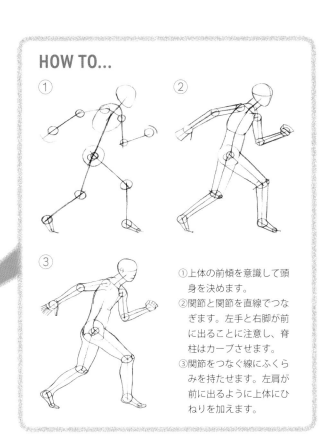

① 上体の前傾を意識して頭身を決めます。
② 関節と関節を直線でつなぎます。左手と右脚が前に出ることに注意し、脊柱はカーブさせます。
③ 関節をつなぐ線にふくらみを持たせます。左肩が前に出るように上体にひねりを加えます。

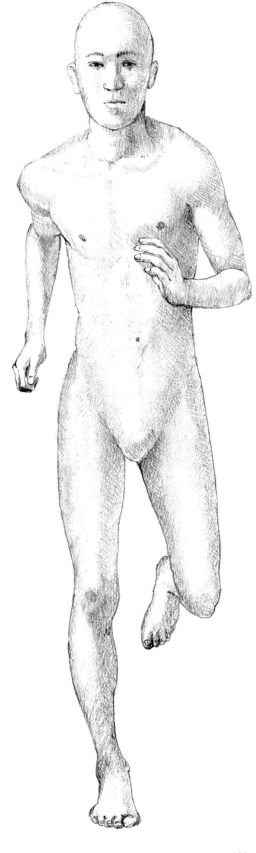

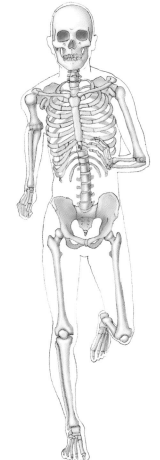

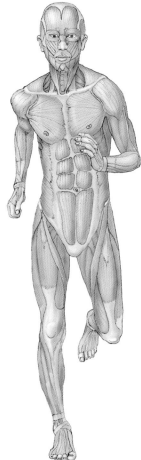

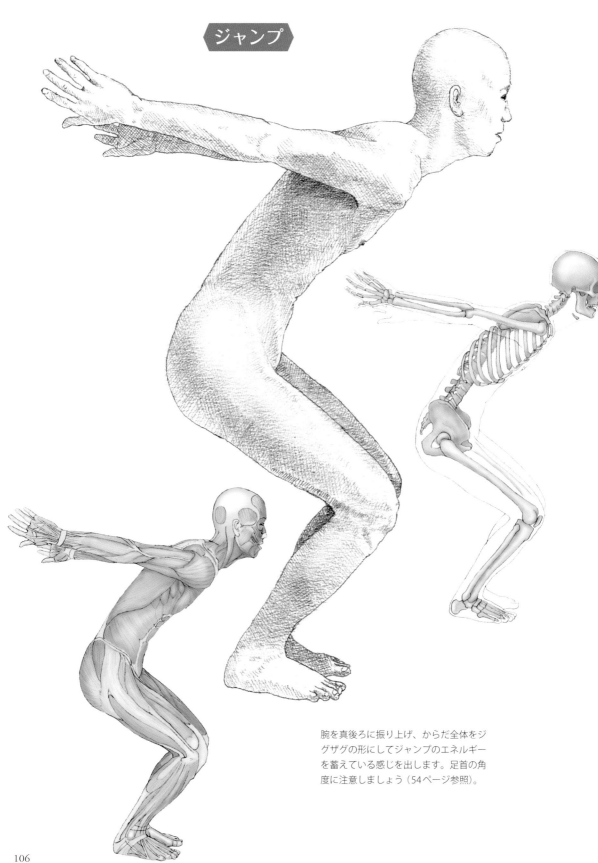

ジャンプ

腕を真後ろに振り上げ、からだ全体をジグザグの形にしてジャンプのエネルギーを蓄えている感じを出します。足首の角度に注意しましょう（54ページ参照）。

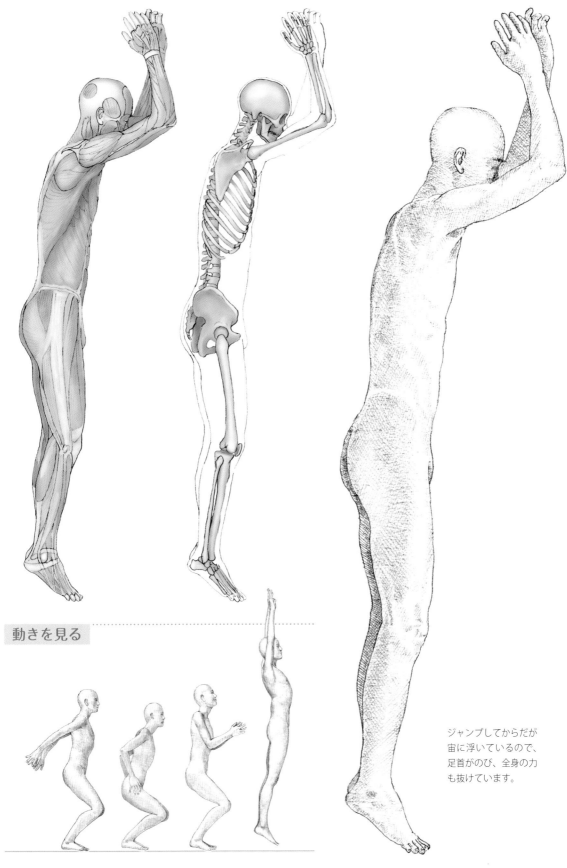

動きを見る

ジャンプしてからだが
宙に浮いているので、
足首がのび、全身の力
も抜けています。

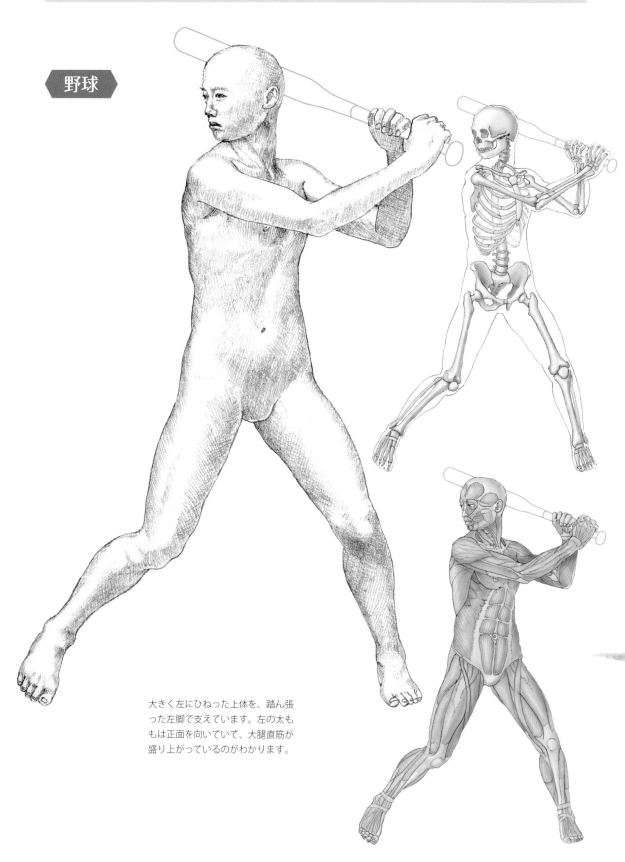

野球

大きく左にひねった上体を、踏ん張った左脚で支えています。左の太ももは正面を向いていて、大腿直筋が盛り上がっているのがわかります。

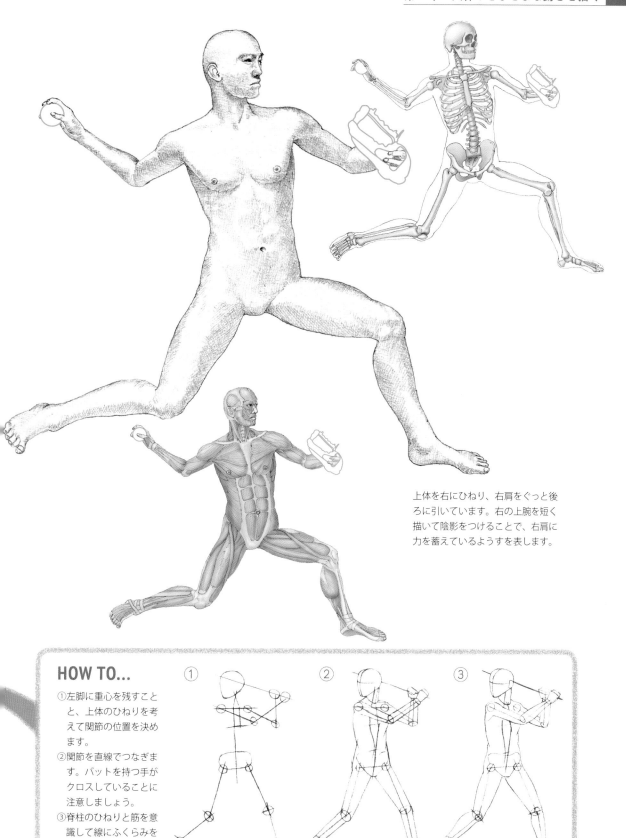

上体を右にひねり、右肩をぐっと後
ろに引いています。右の上腕を短く
描いて陰影をつけることで、右肩に
力を蓄えているようすを表します。

HOW TO...

①左脚に重心を残すこと
　と、上体のひねりを考
　えて関節の位置を決め
　ます。
②関節を直線でつなぎま
　す。バットを持つ手が
　クロスしていることに
　注意しましょう。
③脊柱のひねりと筋を意
　識して線にふくらみを
　持たせます。

① ② ③

動きの大きいポーズ

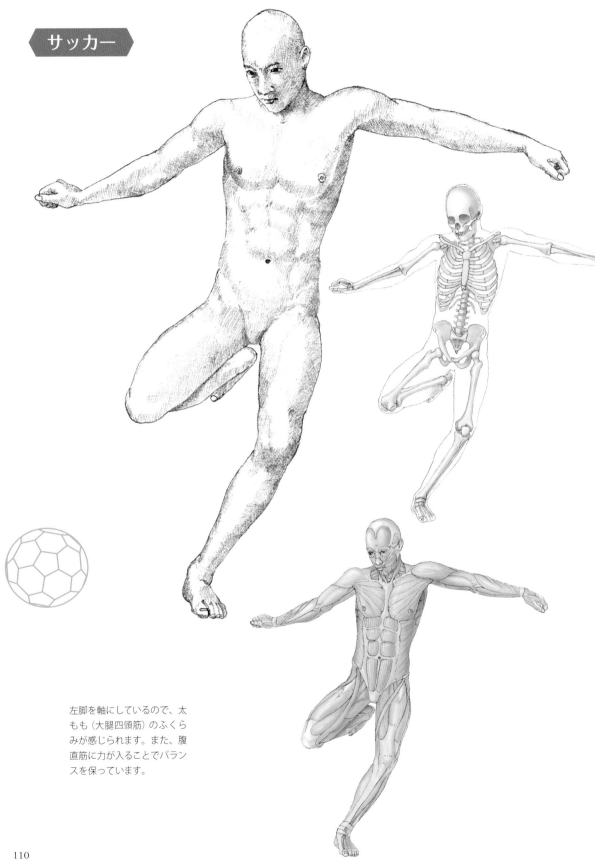

サッカー

左脚を軸にしているので、太もも（大腿四頭筋）のふくらみが感じられます。また、腹直筋に力が入ることでバランスを保っています。

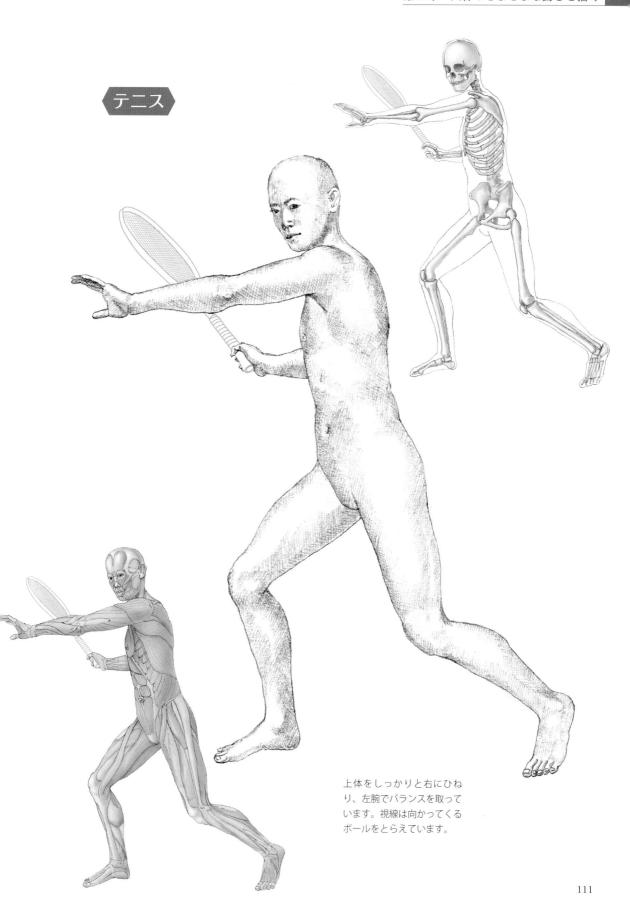

テニス

上体をしっかりと右にひね
り、左腕でバランスを取って
います。視線は向かってくる
ボールをとらえています。

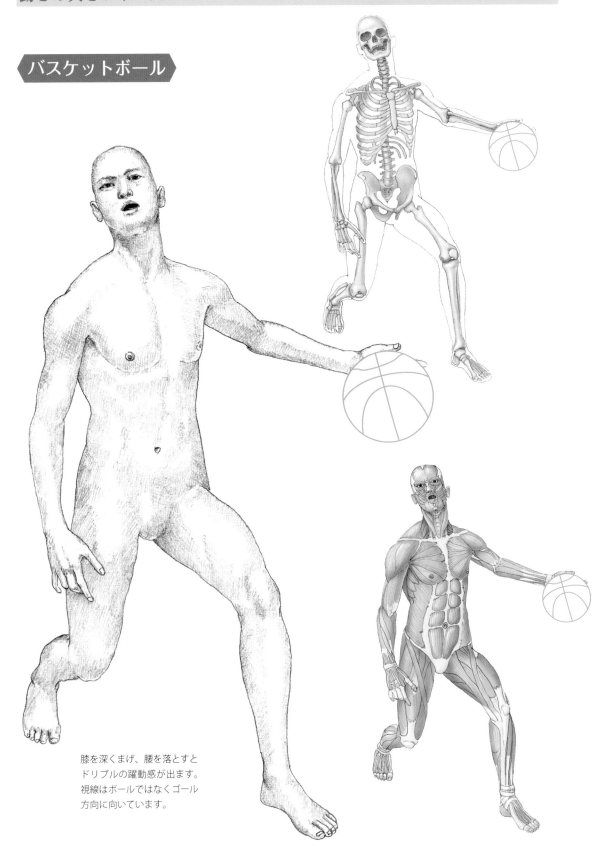

バスケットボール

膝を深くまげ、腰を落とすと
ドリブルの躍動感が出ます。
視線はボールではなくゴール
方向に向いています。

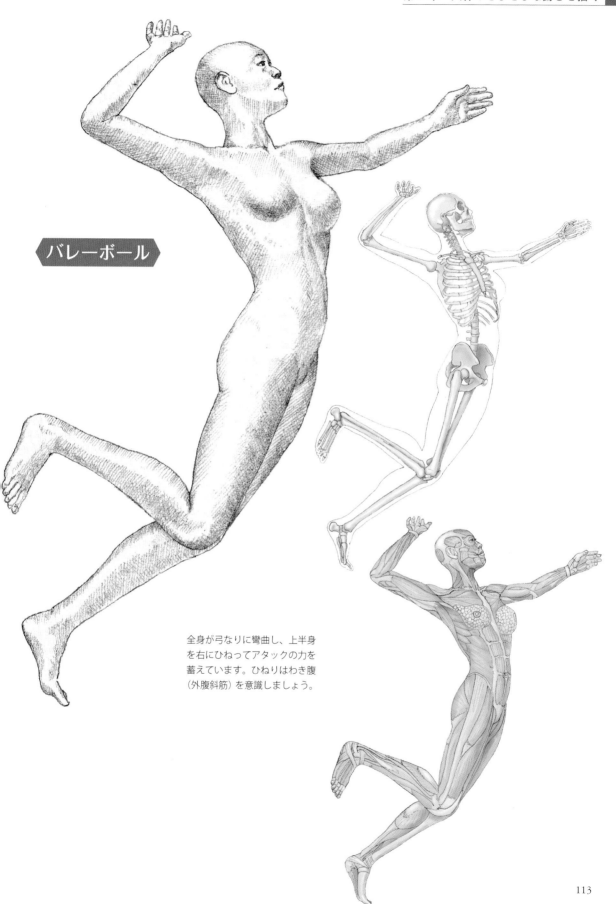

バレーボール

全身が弓なりに彎曲し、上半身を右にひねってアタックの力を蓄えています。ひねりはわき腹（外腹斜筋）を意識しましょう。

動きの大きいポーズ

卓球

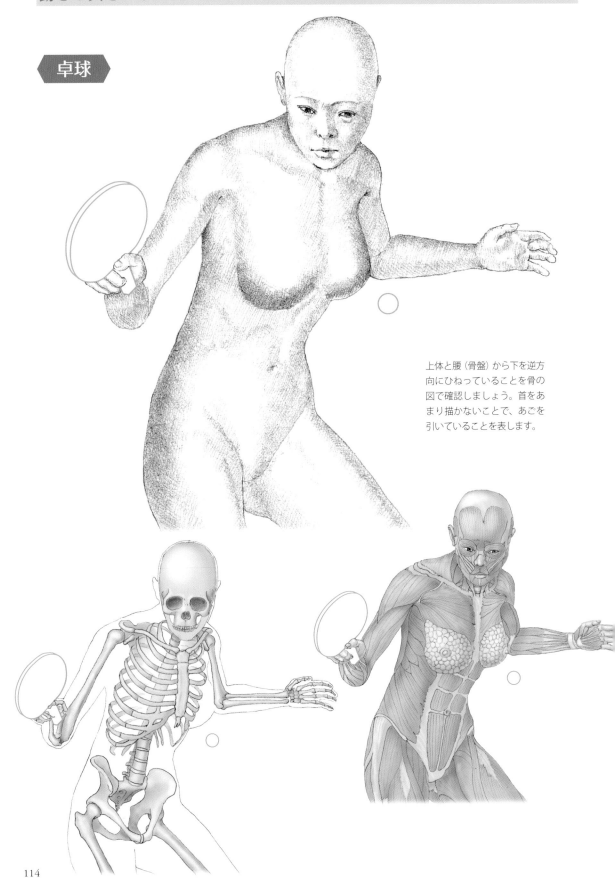

上体と腰（骨盤）から下を逆方向にひねっていることを骨の図で確認しましょう。首をあまり描かないことで、あごを引いていることを表します。

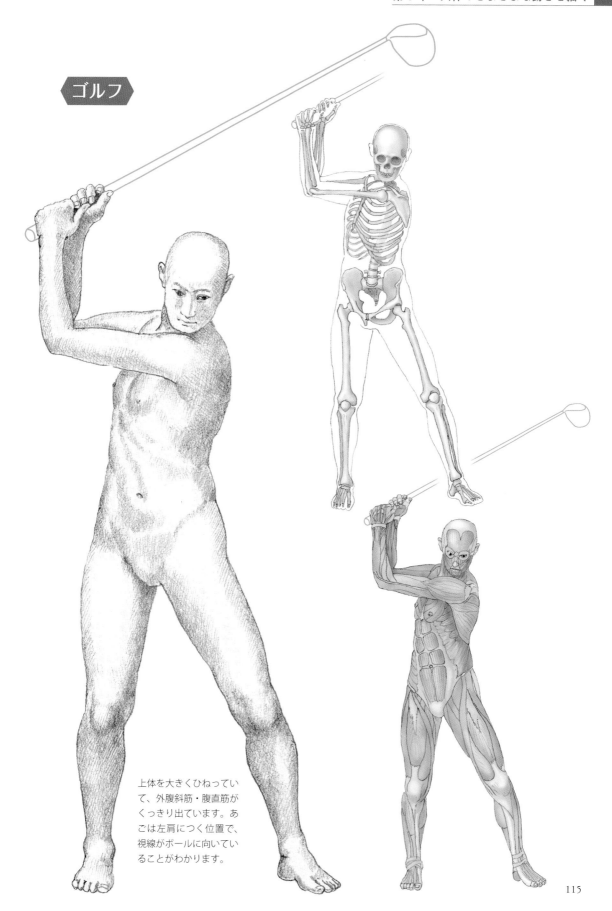

ゴルフ

上体を大きくひねってい
て、外腹斜筋・腹直筋が
くっきり出ています。あ
ごは左肩につく位置で、
視線がボールに向いてい
ることがわかります。

動きの大きいポーズ

ボクシング

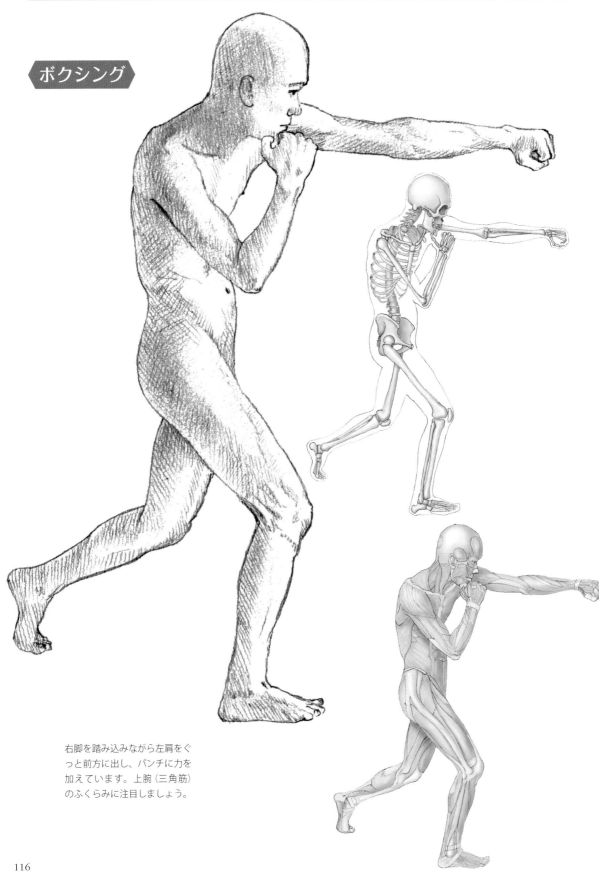

右脚を踏み込みながら左肩をぐっと前方に出し、パンチに力を加えています。上腕（三角筋）のふくらみに注目しましょう。

水泳

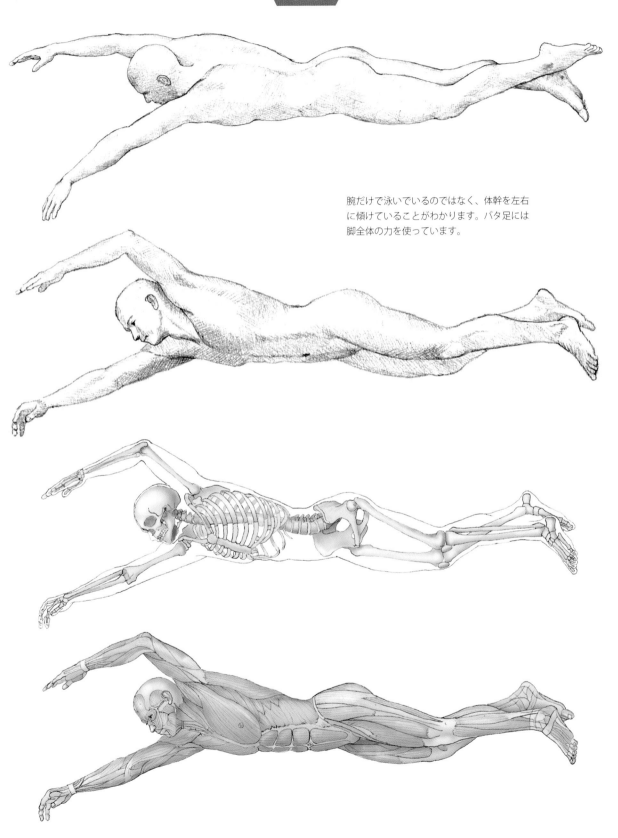

腕だけで泳いでいるのではなく、体幹を左右に傾けていることがわかります。バタ足には脚全体の力を使っています。

動きの大きいポーズ

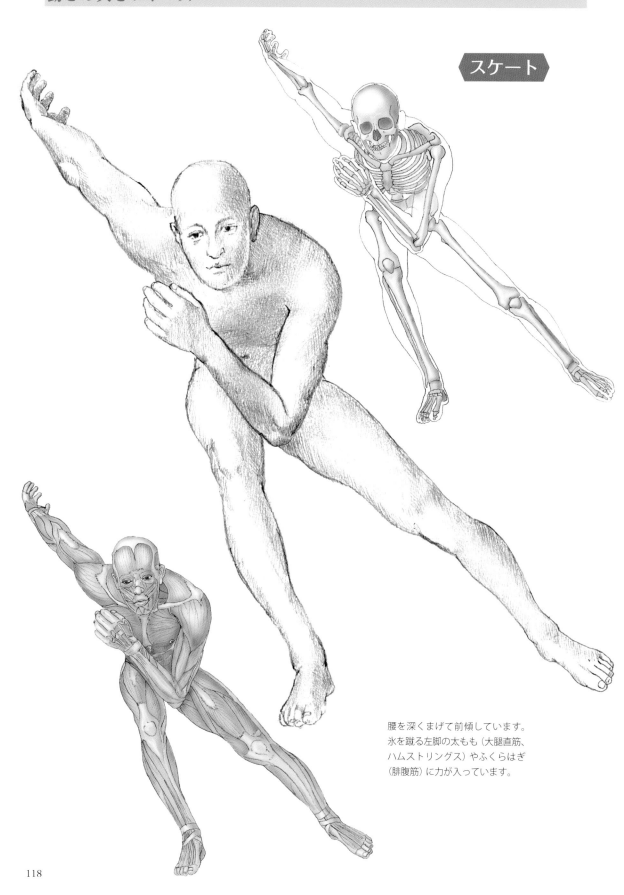

スケート

腰を深くまげて前傾しています。
氷を蹴る左脚の太もも（大腿直筋、
ハムストリングス）やふくらはぎ
（腓腹筋）に力が入っています。

118

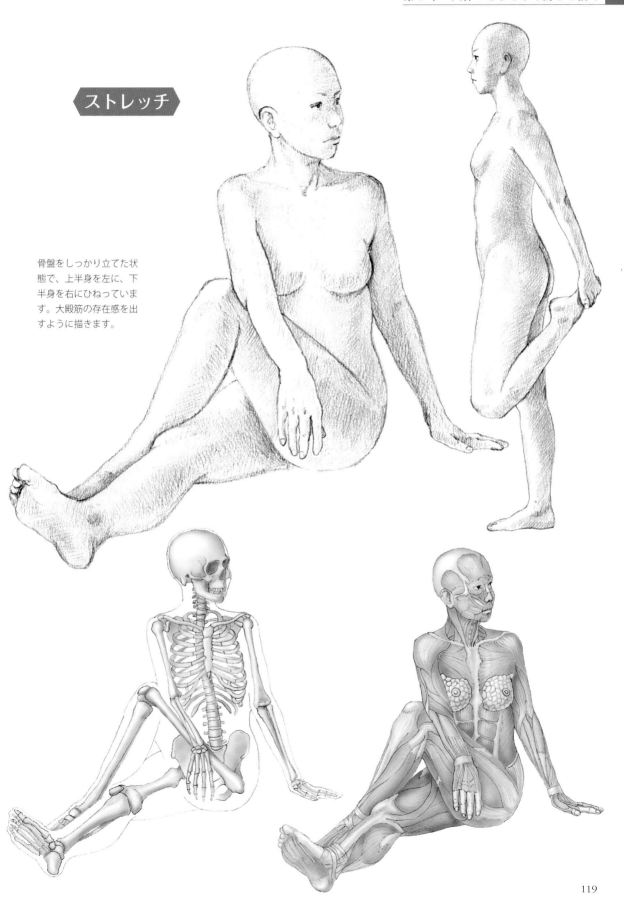

ストレッチ

骨盤をしっかり立てた状態で、上半身を左に、下半身を右にひねっています。大殿筋の存在感を出すように描きます。

「グランド・オダリスク」ドミニク・アングル
――人体のデフォルメ

グランド・オダリスク／ドミニク・アングル
1814年　162㎝×91㎝
※人体を中心にした模写。

女性の頭部が小さく、胸郭はむりやりひねられています。腰部は大きく引き伸ばされ、それにともなって骨盤・殿部も大きくなっています。右腕も、右手の位置を整合化するために引き伸ばされています。全体にデフォルメ（変形）のほどこされた作品といえます。

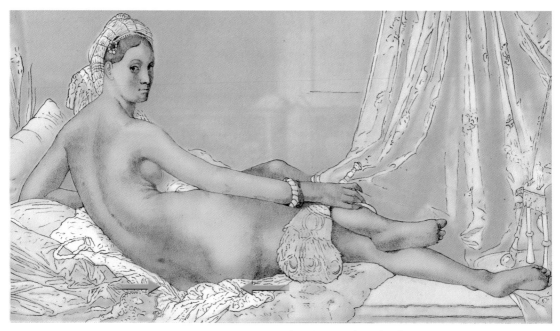

上図の腰部を縮めると（緑の矢印）、少し正常な人体に近づきます。

この作品は、最初の展示時点から、「解剖学的なリアリズム」の欠如を問われていたようです。ここに掲げた分析もそれを表しています。アングルは、緻密なデッサン力と色彩計画で知られた、いわば天才的な画家です。なぜ、この作品では「解剖学の黙殺」ともいえるようなデフォルメ（変形）をほどこしているのでしょうか。

作品のモデルは愛妾ということになっていますので、アングルにはたおやかな女性美を強調する意図があったのではないか、という推論が成り立ちます。つまり、骨盤を不自然なまでに大きくしたり、右腕を長くしたりしてでも、腰部を強調したかったということではないでしょうか。日本の「土偶」などにも見られますが、ビーナスに対する畏敬のようなプリミティブな感覚を表現したかったようにも思えます。

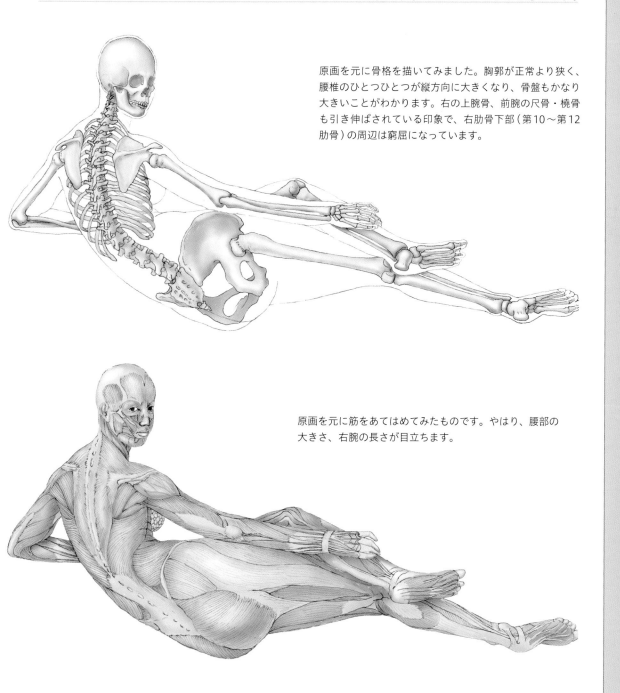

原画を元に骨格を描いてみました。胸郭が正常より狭く、腰椎のひとつひとつが縦方向に大きくなり、骨盤もかなり大きいことがわかります。右の上腕骨、前腕の尺骨・橈骨も引き伸ばされている印象で、右肋骨下部（第10～第12肋骨）の周辺は窮屈になっています。

原画を元に筋をあてはめてみたものです。やはり、腰部の大きさ、右腕の長さが目立ちます。

おわりに

　人間の動きをごく自然に見せるには、制作者の日常的な人間観察が大きな効果を生みます。どなたかにモデルを依頼して写真資料として活用するにしても、シャッターチャンスを逃さずに決定的な瞬間を押さえるには、観察眼と経験値が重要なファクターになります。

　静止した人体がどのような構造になっているかという《解剖学的な情報》（本書の「基礎編」）と《動きのなかでの骨や筋の情報（本書の「実践編」)》、そして《制作者の観察経験》がひとつのものとなってこそ、よりリアルな、生きているキャラクターを生み出すことができるのです。生き生きとした表情や、感情をともなった動作によるからだのわずかな変化、驚くほど速い動きなどの表現は、どの情報が欠けても成立しないでしょう。

　また、美術解剖学を学んで人物を描く際の大きな特徴として、実際の描画では骨や筋がそのまま描かれることはない、ということがあります。いわゆる「体表」の表現しか使われないのです。解剖学的な知識や観察経験は、体表にあらわれる陰影の描写のなかにすべてとりこまれます。解剖学で「体表解剖」と呼ばれる領域です。

　衣服を着ている場合は、体表でさえ、首から頭、前腕から手、膝から足までしか露出していない場合もあるでしょう。

　しかしながら、そのキャラクターがどのような動きをしても、全身の骨格を意識していれば、的確な屈曲や伸展、回転の表現が可能になります。

　人間の描画において、命を感じさせられるかどうかは制作者の生命理解の経験値と解剖学的情報の積み重ねにかかっています。この本を活用することで、その積み重ねができるようになり、人物表現の制作に役に立つことを願ってやみません。

　本の制作にあたって、編集の嘉山恭子さん、河野真理子さんには我慢強いご協力をいただきました。ありがとうございました。

2020年10月

金井裕也

おもな参考文献

佐藤達夫 監修『新版 からだの地図帳』
講談社 (2013)

Keith L.Moore 他『臨床のための解剖学 第2版』
（佐藤達夫、坂井建雄 監訳）メディカル・サイエンス・インターナショナル (2016)

Michael Schünke 他『プロメテウス解剖学アトラス 解剖学総論／運動器系』
（坂井建雄、松村讓兒 監訳）医学書院 (2007)

中井準之助 他 編『解剖学辞典 新装版』
朝倉書店 (2004)

Heinz Feneis『図解 解剖学事典 第2版』
（山田英智 監訳）医学書院 (1983)

中尾喜保、宮永美知代『美術解剖学アトラス』
南山堂 (1986)

ヴァレリー・L・ウィンスロゥ『アーティストのための美術解剖学』
（宮永美知代 訳・監修）マール社 (2013)

ヴァレリー・L・ウィンスロゥ『モーションを描くための美術解剖学』
（宮永美知代 訳・監修）マール社 (2018)

Jack Hamm『人体のデッサン技法』
（島田照代 訳）嶋田出版 (1987)

ジョヴァンニ・チヴァルディ『人体デッサンのための美術解剖学ノート』
（榊原直樹 訳）マール社 (2014)

内田広由紀『基本はかんたん人物画』
視覚デザイン研究所 (2004)

レイ・ロング『図解 YOGAアナトミー 筋骨格編』
（中村尚人 監訳）アンダーザライトヨガ スクール (2014)

さくいん

著者

KANAI YUUYA

金井裕也

1951年群馬県生まれ。1977年東京藝術大学美術学部絵画科油絵専攻卒業。科学雑誌『Newton』創刊号よりイラストを担当。1983年より医学イラストの制作を開始し、現在に至る。2000〜2004年には東京医科歯科大学医学部機能解剖学教室にて受講、解剖実習に参加、解剖図譜を制作する。2009〜2014年、京都造形芸術大学（現・京都芸術大学）通信教育部〔自然学4〕非常勤講師。『新版 からだの地図帳』『人体スペシャル 胸部の地図帳』『カラー図解 新しい人体の教科書（上・下）』（いずれも講談社）を始めとする多くの書籍のほか、「特別展 人体─神秘への挑戦─」（国立科学博物館）でもイラストを制作。
URL：www.yuuyak.com

人体を描きたい人のための「美術解剖学」

2020年11月18日　第1刷発行

著　者　金井裕也
発行者　渡瀬昌彦
発行所　株式会社講談社
　　　　〒112-8001　東京都文京区音羽2-12-21
電　話　03-5395-3560　編集
　　　　03-5395-4415　販売
　　　　03-5395-3615　業務
印刷所　株式会社新藤慶昌堂
製本所　大口製本印刷株式会社

©Yuuya Kanai 2020, Printed in Japan

定価はカバーに表示してあります。
落丁本・乱丁本は購入書店名を明記のうえ、小社業務あてにお送りください。
送料小社負担にてお取り替えいたします。
なお、この本についてのお問い合わせは、第一事業局学芸部からだとこころ編集あてにお願いいたします。
本書のコピー、スキャン、デジタル化等の無断複製は著作権法上での例外を除き禁じられています。本書を代行業者等の第三者に依頼してスキャンやデジタル化することは、たとえ個人や家庭内の利用でも著作権法違反です。
Ⓡ〈日本複製権センター委託出版物〉複写を希望される場合は、事前に日本複製権センター（電話 03-6809-1281）の許諾を得てください。

ISBN978-4-06-521569-2　N.D.C.700 125p 26cm